Fast Track Your Spc
With

GH00750647

Dual Language
Spanish Short Stories
Cuentos Españoles

Parallel Text Spanish-English
Short Stories

Level: Intermediate

This enjoyable collection
of Spanish Stories with parallel English translations
is ideal for everyone who is studying Spanish. The
stories will all maintain your interest as well as
improving your fluency, increasing your vocabulary
and providing you with experience of a wide range of
Spanish verb tenses and usage.

Edited and Translated by
Peter Oakfield

Riverbridge Books

This edition published in the United Kingdom by
Riverbridge Books.
192 Leckhampton Road, Cheltenham GL53 0AE U.K.

ISBN **978-1-9160398-2-7**

English translations, Introduction, and
Mastering Spanish with the method of Re-translation
Copyright © 2020 Peter Oakfield

About the author: Peter Oakfield lives in the west of England and writes about memory and language learning and topics related to the Spanish language. His other books include: -

Spanish Verbs Wizard*: Learn Spanish Verbs, Tenses, and Conjugations - Plus 101 Fully Conjugated Spanish Verbs - Plus The 1001 Most Useful Spanish Verbs.*

How to learn - Spanish - French - German - Arabic - any foreign language successfully.

How to transform your Memory and Brain Power*: a complete course for memory development, fast learning skills and speed-reading.*

How I Learned to Speak Spanish Fluently In Three Months

Dual Language Spanish Reader. Level: Beginner to Intermediate. Note*:* This book is based on similar principles to the First Spanish Reader, but it assumes that the student has reached beyond beginner and is designed to help the student to start progressing towards intermediate standard.

Dual Language First Spanish Reader. A carefully selected collection of Spanish stories and texts aimed at those beginning to learn Spanish and designed to fast track the beginner by providing enjoyable reading material and a good range of vocabulary to be absorbed with the dual language method.

Note: This volume of Spanish Short Stories at intermediate level is the first of several books with selections of Spanish short stories at this standard intended to be published by Riverbridge Books. Others will follow presently.

Table of Contents Page No.

Introduction

Fast track Spanish learning.
This entertaining collection of dual language -Spanish-English- short stories, is suitable for everyone learning Spanish and either approaching or at intermediate level. The dual language method encouraged by this book provides one of the best methods for you continue advancing with the Spanish language.

Use of this book will aid your fluency, helping you to develop a wider vocabulary and expanding your command of the different Spanish verb forms. Your concentration will be encouraged by the variety of the stories and the pleasure you will gain by reading them in Spanish and by seeing that you are rapidly making good progress. It is a book which will accelerate your Spanish learning.

Close English translations.
As with other books in the Riverbridge Dual Language Spanish-English series, the English translations are close literal translations; and the English reflects, as far as practical, the Spanish from which it is derived. Moreover you will find in some places an alternative, or an amplification, or some brief note alongside. The result is that you will benefit from English translations that stick closely to the Spanish, that do not mislead you, and that propel you comfortably towards your goal of understanding and speaking Spanish well.

The method of re-translation.
With the dual or parallel versions of the Spanish and the English, set out on pages facing one another, you can check either against the other easily, and this makes the book ideal for learning in a variety of ways and also by the recommended method of re-translation. By using this method, as well as enjoying the readings, you will discover how to interact with the Spanish and begin to respond to it naturally, intensively and intuitively. The re-translation method is explained in the final chapter: **Mastering Spanish with the Method of Re-Translation**.

Good luck and success with your study of Spanish and if you have any comments you are welcome to email me at p.oakfield.spanish@gmail.com   Peter Oakfield

1. Polifemo

El coronel Toledano, por mal nombre Polifemo, era un hombre feroz, que gastaba abrigo largo, pantalón de cuadros y sombrero de alas anchurosas, reviradas; de estatura gigantesca, paso rígido, imponente; enormes bigotes blancos, voz de trueno y corazón de bronce. Pero aun más que esto, infundía pavor y grima la mirada torva, sedienta de sangre, de su ojo único. El coronel era tuerto. En la guerra había dado muerte a muchísimos, y se había gozado en arrancarles las entrañas aún palpitantes. Esto creíamos al menos ciegamente, todos los chicos que al salir de la escuela íbamos a jugar al parque de San Francisco, en la muy noble y heroica ciudad de Oviedo.

Por allí, paseaba también metódicamente, los días claros, de doce a dos de la tarde, el implacable guerrero. Desde muy lejos columbrábamos entre los árboles su arrogante figura, que infundía espanto en nuestros infantiles corazones; y cuando no, escuchábamos su voz fragorosa, resonando entre el follaje como un torrente que se despeña.

El coronel era sordo también, y no podía hablar sino a gritos.

-Voy a comunicarle a usted un secreto -decía a cualquiera que le acompañase en el paseo. - Mi sobrina Jacinta no quiere casarse con el chico de Navarrete.

Y de este secreto se enteraban cuantos se hallasen a doscientos pasos en redondo.

Paseaba generalmente solo; pero cuando algún amigo se acercaba, lo hallaba propicio. Quizás aceptase de buen grado la compañía por tener ocasión de abrir el odre donde guardaba aprisionada su voz potente. Lo cierto es que cuando tenía interlocutor, el parque de San Francisco se estremecía. No era ya un paseo público; entraba en los dominios exclusivos del coronel. El gorjeo de los pájaros, el susurro del viento y el dulce murmurar de las fuentes, todo callaba. No se oía más que el grito imperativo, autoritario, severo, del guerrero.

1. Polifemo (Polyphemos: one of the Cyclops)

Colonel Toledano, nicknamed Polifemo, was a fierce man, who wore a long coat, checked trousers and a hat with very wide brim, turned up; of gigantic stature, firm pace/gait, imposing; enormous white moustaches, thunderous voice and heart of bronze. But even more than this, the grim, bloodthirsty look of his only eye, instilled fear and dread. The colonel was a one-eyed man. In the war he had killed many, and had enjoyed pulling out their still throbbing entrails. This at least we, all the boys who on leaving the school, went to play at the San Francisco park, in the very noble and heroic city of Oviedo, believed blindly.

Around there also the implacable warrior used to walk regularly, on clear days from twelve to two o'clock in the afternoon. From very far we would make out between the trees his arrogant figure, that instilled terror in our childish hearts; and when not, we used to hear his thunderous voice, resounding amongst the foliage, like a torrent that is hurling itself down.

The colonel was deaf also, and was not able to talk except with shouts.

"I am going to inform you of a secret" he would say to whoever might accompany him on the walk; "My niece Jacinta does not want to marry the boy from Navarrete."

And this secret, all those who might find themselves at around two hundred paces, would learn about.

Generally, he walked alone; but when some friend approached, he found him well disposed. Perhaps he accepted gladly the company so as to have the occasion to open the wine-skin where he kept imprisoned his powerful voice. What is certain is that when he had someone to speak to, the park of San Francisco shuddered. It was not now a public promenade; it entered into the exclusive dominions of the colonel. The warbling of the birds, the whisper of the wind, and the sweet murmur of the fountains, all became silent. One did not hear more than the shout, imperative/commanding, authoritarian, severe, of the warrior.

7

De tal modo que el clérigo que lo acompañaba -- a tal hora sólo, algunos clérigos acostumbraban a pasear por el parque -- parecía estar allí únicamente para abrir, ahora uno, después otro, todos los registros que la voz del coronel poseía. ¡Cuántas veces, oyendo aquellos gritos terribles, fragorosos, viendo su ademán airado y su ojo encendido, pensamos que iba a arrojarse sobre el desgraciado sacerdote que había tenido la imprevisión de acercarse a él!

Este hombre pavoroso tenía un sobrino de ocho o diez años, como nosotros. ¡Desdichado! No podíamos verle en el paseo sin sentir hacia él compasión infinita. Andando el tiempo he visto a un domador de fieras introducir un cordero en la jaula del león. Tal impresión me produjo, como la de Gasparito Toledano paseando con su tío. No entendíamos cómo aquel infeliz muchacho podía conservar el apetito y desempeñar regularmente sus funciones vitales, cómo no enfermaba del corazón o moría consumido por una fiebre lenta.

Si transcurrían algunos días sin que apareciese por el parque, la misma duda agitaba nuestros corazones. "¿Se lo habrá merendado ya?" Y cuando al cabo lo hallábamos sano y salvo en cualquier sitio, experimentábamos a la par sorpresa y consuelo. Pero estábamos seguros de que un día u otro concluiría por ser víctima de algún capricho sanguinario de Polifemo.

Lo raro del caso era que Gasparito no ofrecía en su rostro vivaracho aquellos signos de terror y abatimiento, que debían ser los únicos en él impresos. Al contrario, brillaba constantemente en sus ojos una alegría cordial que nos dejaba estupefactos. Cuando iba con su tío, marchaba con la mayor soltura, sonriente, feliz, brincando unas veces, otras compasadamente, llegando su audacia o su inocencia hasta hacernos muecas a espaldas de él. Nos causaba el mismo efecto angustioso que si le viésemos bailar sobre la flecha de la torre de la catedral.

"¡Gaspaar!" El aire vibraba y transmitía aquel bramido a los confines del paseo.

Accordingly (in such a way) the clergyman who accompanied him --at such an hour only, some clergymen were accustomed to walk through the park -- appeared to be there solely in order to open, now one, now another, all the registers that the voice of the colonel possessed. How many times, hearing those terrible thunderous shouts, seeing his angry manner and his inflamed eye, we thought that he was going to hurl himself upon the unfortunate priest who had had the lack of foresight to approach him!

This terrifying man had a nephew of eight or nine years (of age), like us. Unfortunate fellow! We were not able to see him on the avenue without feeling infinite compassion towards him. In the course of time I have seen a trainer of wild beasts put a lamb into the cage of a lion. Such an impression it produced in me, as that of Gasparito Toledano strolling with his uncle. We did not understand how that unhappy boy was able to maintain/preserve his appetite and to carry out regularly his natural functions, how he did not become ill in his heart or die consumed by a slow fever.

If some days passed without him appearing in the park, the same doubt disturbed our hearts. "Will he have eaten him (as a snack) now?" And when finally we found him sound and safe in whatever place, we experienced equally surprize and relief. But we were sure that one day or other he would finish by being victim of some bloodthirsty caprice/whim of Polifemo.

The strange thing of the matter was that Gasparito did not offer/present in his lively face those signs of terror and dejection, that ought to be the only ones impressed in it. On the contrary, in his eyes shone constantly a cordial happiness that left us stupefied. When he went with his uncle, he walked with the greatest ease, smiling, happy, skipping-about sometimes, others decorously, his audacity or his innocence going so far as to make faces at us behind his back. It caused us the same anguished/distressing effect as if we were to see him dance upon the arrow of the tower of the cathedral.

"Gaspaar!" The air vibrated and transmitted that bellowing to the limits of the avenue.

A nadie de los que allí estábamos nos quedaba el color entero. Sólo Gasparito atendía como si le llamase una sirena. "¿Qué quiere usted, tío?" Y venía hacia él ejecutando algún paso de baile.

Además de este sobrino, el monstruo era poseedor de un perro que debía de vivir en la misma infelicidad, aunque tampoco lo parecía. Era un hermoso danés, de color azulado, grande, suelto, vigoroso, que respondía por el nombre de 'Muley'. El 'Muley', como Gasparito, vivía en poder de Polifemo. Gracioso, juguetón, campechano, incapaz de falsía, era, sin ofender a nadie, el perro menos espantadizo y más tratable de cuantos he conocido en mi vida.

Con estas partes no es milagro que todos los chicos estuviésemos prendados de él. Siempre que era posible hacerlo, sin peligro de que el coronel lo advirtiese, nos disputábamos el honor de regalarle con pan, bizcocho, queso y otras golosinas que nuestras mamás nos daban para merendar. El "Muley" lo aceptaba todo con fingido regocijo, y nos daba muestras inequívocas de simpatía y reconocimiento.

Mas -- a fin de que se vea hasta qué punto eran nobles y desinteresados, los sentimientos de este memorable can, y para que sirva de ejemplo perdurable a perros y hombres -- diré que no mostraba más afecto a quien más le regalaba.

Solía jugar con nosotros algunas veces -- en provincias, y en aquel tiempo, entre los niños, no existían clases sociales -- un pobrecito hospiciano llamado Andrés, que nada podía darle, porque nada tenía. Pues bien, las preferencias de "Muley" estaban por él. Los rabotazos más vivos, las carocas más subidas y vehementes a él se consagraban, en menoscabo de los demás. ¡Qué ejemplo para cualquier diputado de la mayoría!

¿Adivinaba el "Muley" que aquel niño desvalido, siempre silencioso y triste, necesitaba más de su cariño que nosotros? Lo ignoro; pero así parecería serlo.

To none of us who were there did our full colour remain. Only Gasparito attended/paid heed as if a siren should call him. "What do you want, Uncle?" And he would come towards him, executing some dance step.

As well as this nephew, the monster was the possessor of dog that ought to have been living in the same unhappiness, although neither did it seem to. It was a beautiful great-dane, of bluish colour, large, agile (also: loose), vigorous, that responded to the name of 'Muley'. The Muley, like Gasparito, lived in the power of Polifemo. Gracious, playful, friendly, incapable of falseness, it was, without offending anyone, the dog least timid/shy and most sociable of all those I have known in my life.

With these qualities it is no miracle that all of (us) boys were captivated by him. Whenever it was possible to do it, without danger that the colonel should be aware of it, we disputed for the honour of presenting him with bread, biscuit, cheese and other titbits/dainties that our mothers gave us in order to snack on. The "Muley" accepted it all with feigned delight, and gave us unmistakable signs of sympathy and gratitude (also: recognition).

But -- with the object that it may be seen up to what point were noble and disinterested, the sentiments of this memorable dog, and in order that it should serve as an lasting example to dogs and men -- I will say that it did not show more affection to he who gave him most.

A poor orphan boy called Andrés used to play with us sometimes –- in the provinces, and at that time, among the children, social classes did not exist — who was unable to give it (i.e. the dog) anything, because he had nothing. Well then, the preferences of "Muley" were for him. The most lively tail wagging's, the most emphatic and vehement caresses were dedicated to him, to the detriment of the rest (i.e. of us). What an example to any deputy (i.e. Member of Spanish Parliament) of the majority-party.

Did Muley guess that this destitute child, always silent and sad, needed his affection more than us? I do not know; but so it would seem to be.

Por su parte, Andresito había llegado a concebir una verdadera pasión por este animal. Cuando nos hallábamos jugando en lo más alto del parque al marro o a las chapas, y se presentaba por allí de improviso el "Muley", llamaba aparte a Andresito, y se entretenía con él largo rato, como si tuviera que comunicarle algún secreto. La silueta colosal de Polifemo se columbraba allá entre los árboles.

Pero estas entrevistas rápidas y llenas de zozobra fueron sabiéndole a poco al hospiciano. Como un verdadero enamorado, ansiaba disfrutar de la presencia de su ídolo largo rato y a solas.

Por eso una tarde, con osadía increíble, Andresito se llevó en presencia nuestra el perro hasta el Hospicio, como en Oviedo se denomina la Inclusa, y no volvió hasta el cabo de una hora. Venía radiante de dicha. El "Muley" parecía también satisfechísimo. Por fortuna, el coronel aún no se había ido del paseo ni advirtió la deserción de su perro.

Se repitiéron una tarde y otra tales escapatorias. La amistad de Andresito y "Muley" se iba consolidando. Andresito no hubiera vacilado en dar su vida por el "Muley".

Pero aún no estaba contento el hospiciano. En su mente germinó la idea de llevarse el "Muley" a dormir con él a la Inclusa.

Como ayudante que era del cocinero, dormía en uno de los corredores, al lado del cuarto de éste, en un jergón de hoja de maíz. Una tarde condujo el perro al Hospicio y no volvió.

¡Qué noche deliciosa para el desgraciado! No había sentido en su vida otras caricias que las del "Muley". Los maestros primero, el cocinero después, le habían hablado siempre con el látigo en la mano. Durmieron abrazados.

Allá al amanecer, el niño sintió el escozor de un palo que el cocinero le había dado en la espalda la tarde anterior. Se despojó de la camisa:

-Mira, Muley" -dijo en voz baja mostrándole el cardenal.

For his part, Andresito had come to conceive a true passion (love) for this animal. When we found ourselves playing, in the highest part of the park, at marro (a tag game) or chapas (a game throwing bottle tops), and Muley appeared suddenly, it would call Andresito aside, and entertain itself a long while with him, as if it might have to communicate some secret to him. The colossal silhouette of Polifemo would be glimpsed there amongst the trees.

But these interviews, hasty and full of anxiety were getting it to know the orphan little by little. Like a true lover, it longed enjoy the presence of its idol for long moments and alone.

Therefore one afternoon, with incredible daring, Andresito took the dog away from our presence as far as the Orphanage, as the foundling-house is named in Oviedo, and did not return until the end of an hour. He came radiant with happiness. Muley seemed also very satisfied. Fortunately, the colonel still had not gone from the promenade nor noticed the desertion of his dog.

Such escapades were repeated one afternoon and another. The friendship of Andresito and Muley was growing-strong. Andresito would not have hesitated in giving his life for Muley.

But still the orphan was not content/satisfied. In his mind germinated/developed the idea of taking Muley to sleep with him at the foundling-house.

As the assistant that he was of the cook, he slept in one of the corridors, on the side of the latter's (i.e. the cook's) room, on a mattress of corn husks. One afternoon he led the dog to the orphanage and did not return.

What a delightful night for the poor-boy! He had not in his life felt other caresses than those of Muley. The masters first, the cook afterwards, had always spoken to him with the whip in the hand. They slept embraced.

There at dawn, the child felt the stinging of a blow with a stick that the cook had given him on the shoulder the previous afternoon. He took off his shirt:

"Look, Muley" he said in a low voice showing him the bruise.

El perro, más compasivo que el hombre, lamió su carne amoratada.

Luego que abrieron las puertas lo soltó. El "Muley" corrió a casa de su dueño; pero a la tarde ya estaba en el parque dispuesto a seguir a Andresito. Volvieron a dormir juntos aquella noche, y la siguiente, y la otra también. Pero la dicha es breve en este mundo. Andresito era feliz al borde de una sima.

Una tarde, hallándonos todos en apretado grupo jugando a los botones, oímos detrás algo como dos formidables estampidos:

-¡Alto! ¡Alto!

Todas las cabezas se volvieron como movidas por un resorte. Frente a nosotros se alzaba la talla ciclópea del coronel Toledano.

-¿Quién de vosotros es el pilluelo que secuestra mi perro todas las noches, vamos a ver?

Silencio sepulcral en la asamblea. El terror nos tenía clavados, rígidos, como si fuéramos de palo.

Otra vez sonó la trompeta del juicio final.

-¿Quién es el secuestrador? ¿Quién es el bandido? ¿Quién es el miserable ladrón...?

El ojo ardiente de Polifemo nos devoraba a uno en pos de otro. El "Muley", que le acompañaba, nos miraba también con los suyos, leales, inocentes, y movía el rabo vertiginosamente en señal de gran inquietud.

Entonces Andresito, más pálido que la cera, adelantó un paso, y dijo:

-No culpe a nadie, señor. Yo he sido.

-¿Cómo?

-Que he sido yo -repitió el chico en voz más alta.

-¡Hola! ¡Has sido tú! -dijo el coronel sonriendo ferozmente-. ¿Y tú no sabes a quién pertenece este perro?

Andresito permaneció mudo.

-¿No sabes de quién es? -volvió a preguntar a grandes gritos.

-Sí, señor.

The dog, more compassionate that the man, licked his black-and-blue flesh.

As soon as the gates opened he let it go. Muley ran to the house of its owner: but in the afternoon it was already in the park, willing to follow Andresito. They again together slept that night, and the next and another as well. But happiness is brief in this world. Andresito was happy at the edge of an abyss.

One afternoon finding ourselves all in a tight group playing at botones (game played with rolling discs), we heard behind something like two formidable crashes:

"Stop! Halt!"

All heads turned as (if) moved by a spring. In front of us arose the cyclopean figure of Colonel Teledano.

"Which of you is the little rogue who abducts my dog every night, come on now? (lit: we are going to see)"

Sepulchral silence in the gathering. Terror had us fixed, rigid, as if we were of wood.

Once more (another time) the trumpet of the final judgement sounded.

"Who is the abductor/kidnapper? Who is the bandit? Who is the miserable thief....?"

The burning/glaring eye of Polifemo devoured us one after another. Muley, who accompanied him, also looked at us with his (i.e. eyes) loyal, innocent, and wagged (moved) its tail at a dizzy rate as a sign of great anxiety.

Then Andresito, more pale than wax, advanced a step, and said:

"Do not blame anyone, sir. I have been."

"What?"

" I have been" repeated the boy in a louder voice.

"Oh ho! It has been you!" said the colonel smiling fiercely. "And do you not know to whom this dog belongs?"

Andresito remained mute/silent.

"Do you not know whose it is?" he asked again with loud shouts.

"Yes, sir."

-¿Cómo... ? Habla más alto.

Y se ponía la mano en la oreja para reforzar su pabellón.

-Que sí, señor.

-¿De quién es, vamos a ver?

-Del señor Polifemo.

Cerré los ojos. Creo que mis compañeros debieron hacer otro tanto.

Cuando los abrí, pensé que Andresito estaría ya borrado del libro de los vivos. No fue así, por fortuna. El coronel lo miraba fijamente, con más curiosidad que cólera.

-¿Y por qué te lo llevas?

-Porque es mi amigo y me quiere -dijo el niño con voz firme.

El coronel volvió a mirarlo fijamente.

-Está bien -dijo al cabo-. ¡Pues cuidado conque otra vez te lo lleves! Si lo haces, ten por seguro que te arranco las orejas.

Y giró majestuosamente sobre los talones. Pero antes de dar un paso se llevó la mano al chaleco, sacó una moneda de medio duro, y dijo volviéndose hacia él:

-Toma, guárdatelo para dulces. ¡Pero cuidado con que vuelvas a secuestrar al perro! ¡Cuidado!

Y se alejó. A los cuatro o cinco pasos se le ocurrió volver la cabeza.

Andresito había dejado caer la moneda al suelo, y sollozaba, tapándose la cara con las manos. El coronel se volvió rápidamente.

-¿Estás llorando? ¿Por qué? No llores, Hijo mío.

-Porque lo quiero mucho... Porque es el único que me quiere en el mundo -gimió Andrés.

-¿Pues de quién eres hijo? -preguntó el coronel sorprendido.

-Soy de la inclusa.

-¿Cómo? -gritó Polifemo.

-Soy hospiciano.

"What...? Speak louder"

And he put his hand on his ear to aid his hearing (lit: outer ear: also pavilion, tent)

"Yes, sir."

"And whose is it, come on?"

"Señor Polifemo"

I shut my eyes. I believe that my companions must have done the same.

When I opened them, I thought that Andresito would already be erased from the book of the living. It was not so fortunately. The colonel looked at him fixedly, with more curiosity than anger.

"And why do you take it?"

"Because it is my friend and it loves me" said the boy with a firm voice.

The colonel looked at him again fixedly.

"All right" he said finally. But beware if you should take it another time! If you do, be sure that I pull off your ears."

And he turned majestically upon his heels. But before taking a step, he raised his hand to his waistcoat, took out a coin of half a duro, and said turning towards him:

"Take it, keep it for sweets. But beware if you should again abduct the dog! Beware!"

And he moved away. After four of five steps it occurred to him to turn his head.

Andresito had dropped the money to the ground, and was sobbing, covering his face with his hands. The colonel turned quickly.

"Are you crying? Why? Do not cry my boy (also: son)".

"Because I love him so much...Because he is the only one that loves me in the world" wailed Andre.

"Well of whom are you the son?" asked the colonel surprised.

"I am from the foundling house."

"What?" shouted Polifemo.

"I am an orphan."

Entonces vimos al coronel demudarse. Se abalanzó al niño, le separó las manos de la cara, le enjugó las lágrimas con su pañuelo, lo abrazó y lo besó, repitiendo con agitación:

-¡Perdona, hijo mío, perdona! No hagas caso de lo que te he dicho... Yo no lo sabía... Llévate el perro cuando se te antoje... Tenlo contigo todo el tiempo que quieras, ¿sabes...? Todo el tiempo que quieras...

Y después que lo hubo serenado con estas y otras palabras, proferidas con un registro de voz que nosotros no sospechábamos en él, se fue de nuevo al paseo, volviéndose repetidas veces para gritarle:

-Puedes llevartelo cuando quieras, sabes, ¿hijo mío...? Cuando quieras... ¿lo oyes?

Dios me perdone, pero juraría haber visto una lágrima en el ojo sangriento de Polifemo.

Andresillo se alejaba corriendo, seguido de su amigo; que ladraba de gozo.

Then we saw the colonel change expression. He rushed towards the child, he removed his hands from his face, he wiped away the tears with his handkerchief, he hugged him and kissed him, repeating with emotion/agitation:

"Forgive (me) my boy, forgive me! Do not heed what I have said.... I did not know it...Take the dog whenever you may desire...Have it with you all the time you may want, you understand? All the time you may want..."

And after he had calmed him with these and other words, uttered in a tone (register) of voice that we did not suspect in him, he went again to his walk/stroll, turning, repeated times, to shout to him:

"You can take it whenever you want, you understand, my boy? Whenever you want....You hear?"

God forgive me, but I would swear to having seen a tear in the bloodshot eye of Polifemo.

Andresillo went off running, followed by his friend; who barked with joy.

2. La Paella Del "Roder"

Fue un día de fiesta para la cabeza del distrito, la repentina visita del diputado, un señorón de Madrid, tan poderoso para aquellas buenas gentes, que hablaban de él como de la Santísima Providencia. Hubo gran paella en el huerto del alcalde; un festín pantagruélico, amenizado por la banda del pueblo y contemplado por todas las mujeres y chiquillos, que asomaban, curiosos, tras las tapias.

La flor del distrito estaba allí: los curas de cuatro o cinco pueblos, los alcaldes y todos los muñidores, pues el diputado era defensor del orden y los sanos principios.

Entre las sotanas nuevas y los trajes de fiesta oliendo a alcanfor y con los pliegues del arca, se destacában majestuosos los lentes de oro y el negro chaqué del diputado; pero a pesar de toda su prosopopeya, la Providencia del distrito apenas si llamaba la atención.

Todas las miradas eran para un hombrecillo con calzones de pana y negro pañuelo en la cabeza, enjuto, bronceado, de fuertes quijadas, y que tenía al lado un pesado retaco, no cambiando de asiento sin llevar tras sí la vieja arma, que parecía un adherente de su cuerpo.

Era el famoso Quico Bolsón, el héroe del distrito, un roder con treinta años de hazañas, al que miraba la gente joven con terror casi supersticioso, recordando su niñez, cuando las madres decían, para hacerles callar: «¡Que viene Bolsón!»

A los veinte años tumbó a dos por cuestión de amores; y después al monte con el retaco, a hacer la vida de roder, de caballero andante de la sierra. Más de cuarenta procesos estaban en suspenso, esperando que tuviera la bondad de dejarse coger.

¡Pero bueno era él! Saltaba como una cabra, conocía todos los rincones de la sierra, partía de un balazo una moneda en el aire, y la Guardia civil, cansada de correrías infructuosas, acabó por 'no verle'.

2. The Paella of the "Outlaw"

It was a day of fiesta for the head of the district, the sudden visit of the deputy (representative/MP), a great man from Madrid, so powerful for those good people, that they spoke of him as of the Holy Providence. There was a big paella in the orchard of the mayor; a gargantuan feast, made pleasant by the band of the village and contemplated by all the women and little children, who looked in, curious, from behind the enclosing-mud-walls.

The flower of the district was there; the priests of four or five villages, the mayors and all the parish-officers/beadles, because the deputy was the defender of order and of wholesome principles.

Amongst the new cassocks and the party clothes smelling of camphor and with the folds from the (clothes) chest, the gold glasses and the black morning-coat of the deputy stood-out majestically; but despite all his pompousness, the Providence of the district hardly attracted attention.

All the stares were for a little man with breeches of corduroy and a black kerchief on the head, lean, bronzed, with strong jaws, and who had at his side a heavy fowling piece, not changing his seat without carrying behind himself the old weapon, that appeared a follower of (adherent to) his body.

He was the famous Quico Bolsón, the hero of the district, an outlaw with thirty years of exploits, at whom the young people looked with almost superstitious terror. remembering their childhood, when their mothers would say, in order to make them be quiet: "Bolsón is coming!"

At twenty years (of age) he knocked-down (killed) two for a love dispute; and afterwards (went) to the mountain with the fowling-piece, to make the life of an outlaw, of a knight errant of the mountain range. More than forty criminal-proceedings were in suspense, waiting for him to have the goodness to let himself be caught.

But he was good/smart! He leapt like a goat, he knew all the corners of the sierra, he would split with one shot a coin in the air, and the Guardia Civil (military style police), tired of fruitless raids, ended by 'not seeing him'.

Ladrón... eso nunca. Tenía sus desplantes de caballero; comía en el monte lo que le daban por admiración o miedo los de las masías, y si salía en el distrito algún ratero, pronto le alcanzaba su retaco; él tenía su honradez y no quería cargar con robos ajenos. Sangre... eso sí, hasta los codos. Para él un hombre valía menos que una piedra del camino; aquella bestia feroz usaba magistralmente todas las suertes de matar al enemigo: con bala, con navaja; frente a frente, si tenían agallas para ir en su busca; a la espera y emboscado, si eran tan recelosos y astutos como él.

Por celos había ido suprimiendo a los otros roders que infestaban la sierra; en los caminos, uno hoy y otro mañana, había asesinado a antiguos enemigos, y muchas veces bajó a los pueblos en domingo para dejar -- tendidos en la plaza a la salida de la misa mayor -- a alcaldes o propietarios influyentes.

Ya no le molestaban ni le perseguían. Mataba por pasión política a hombres que apenas conocía, por asegurar el triunfo de don José, eterno representante del distrito. La bestia feroz era, sin darse cuenta de ello, una garra del gran pólipo electoral que se agitaba allá lejos, en el Ministerio de la Gobernación.

Vivía en un pueblo cercano, casado con la mujer que le impulsó a matar por vez primera, rodeado de hijos, paternal, bondadoso, fumando cigarros con la Guardia civil, que obedecía órdenes superiores, y cuando a raíz de alguna hazaña había que fingir que le perseguían, pasaba algunos días cazando en el monte, entreteniendo su buen pulso de tirador.

Había que ver cómo le obsequiaban y atendían durante la paella los notables del distrito. «Bolsón, este pedazo de pollo; Bolsón, un trago de vino.» Y hasta los curas, riendo con un ¡jo jo! bondadoso, le daban palmaditas en la espalda, diciendo paternalmente: «¡Ay Bolsonet, qué mal eres!»

Thief.... that never. He had his insolence of a gentleman; he ate on the mountain what those (people) of the farms gave him through admiration or fear, and if some petty thief came out in the district, his fowling piece would soon catch-up-with him; he had his honour and did not want to be burdened with the robberies of others. Blood ...... that yes, up to the elbows. For him a man was worth less than a stone from the road: that ferocious beast used in a masterly manner all the chances of killing the enemy: with a bullet, with a knife; face to face, if they had the guts to go in search of him; in wait and in ambush, if they were as suspicious and astute/cunning as he.

Out of jealousy he had been eliminating the other outlaws that infested the sierra; on the roads, one today and another tomorrow, he had assassinated old enemies, and frequently he went down to the villages on Sunday in order to leave-- stretched-out in the square, at the coming out from the main mass -- mayors or influential land owners.

Now they did not trouble him or pursue him. He killed for political passion men whom he hardly knew, so as to assure the triumph of Don José, everlasting representative of the district. The ferocious beast was, without realising it, a claw of the great electoral octopus that was moving far away, in the Ministry of the Government (i.e. for home affairs).

He lived in a nearby village, married to the woman who urged him to kill for the first time, surrounded by children, paternal/fatherly, good-natured, smoking cigars with the Guardia Civil, who obeyed superior orders, and when as a result of some exploit had to pretend that they were pursuing him, he would pass some days hunting in the mountain, maintaining his good steady-hand (pulse) as a marksman.

It had to be seen how the prominent-men of the district treated and were attentive to him during the paella. "Bolsón, this piece of chicken; Bolsón, a drink/swig of wine." And even the priests, laughing with a kindly 'Ho! Ho!', gave him little pats on the back, saying paternally, "Ah Bolsónet, how naughty you are."

Por él se celebraba aquella fiesta. Sólo por él se había detenido en la cabeza del distrito el majestuoso don José, de paso para Valencia. Quería tranquilizarle; y que cesase en sus quejas, cada vez más alarmantes.

Como premio por sus atropellos en las elecciones, le había prometido el indulto, y Bolsón, que se sentía viejo y ansiaba vivir tranquilo como un labrador honrado, obedecía al señor todopoderoso, creyendo en su rudeza que cada barbaridad, cada crimen, aceleraba su perdón.

Pero pasaban los años, todo eran promesas, y el roder, creyendo firmemente en la omnipotencia del diputado, achacaba a desprecio o descuido la tardanza del indulto.

La sumisión se trocó en amenaza, y don José sintió el miedo del domador ante la fiera que se rebela. El roder le escribía a Madrid todas las semanas con tono amenazador. Y estas cartas, garrapateadas por la sangrienta zarpa de aquel bruto, acabaron por obsesionarle, por obligarle a marchar al distrito.

Había que verles después de la paella, hablando en un rincón del huerto; el diputado, obsequioso y amable, Bolsón, cejijunto y malhumorado.

—He venido sólo por verte—decía don José, recalcando el honor que le concedía con su visita—. ¿Pero qué son esas prisas? ¿No estás bien, querido Quico? Te he recomendado al gobernador de la provincia; la Guardia civil nada te dice... ¿qué te falta?

Nada y todo. Es verdad que no le molestaban, pero aquello era inseguro, podían cambiar los tiempos y tener que volver al monte. Él quería lo prometido: el indulto, ¡recordóns! Y formulaba su pretensión tan pronto en valenciano como en un castellano de pronunciación ininteligible.

—Lo tendrás, hombre, lo tendrás. Está al caer; un día de estos será.

For him that festivity was held. Only for him had the majestic Don José stopped in the capital (lit: head) of the district on his way to Valencia. He wanted to reassure him; and that he should cease his complaints, each time more alarming.

As a reward for his atrocities in the elections, he had promised him the pardon, and Bolsón, who felt old and anxiously desired to live quietly/peacefully like an honourable farmer, obeyed the all-powerful gentleman, believing in his coarse-ignorance that each barbarity, each crime, hastened his pardon.

But the years passed, all were promises, and the outlaw, believing firmly in the omnipotence of the deputy, attributed to contempt or neglect the delay of the pardon.

The submission changed into a threat, and Don José felt the fear of the tamer in front of the wild-beast that rebels. The outlaw wrote to him in Madrid every week with a menacing tone. And these letters, scrawled with the bloody claw of that brute, ended-up by obsessing him, by obliging him to go off to the district.

They had to be seen after the paella, talking in a corner of the orchard; the deputy, obsequious and amiable, Bolsón, frowning and ill-humoured,

"I have come only to see you" said Don José emphasising the honour that he was granting him with his visit, "but what is all this haste? Are you not all right, dear Quico? I have recommended you to the Governor of the province; the Guardia Civil say nothing to you....... what do you lack?"

Nothing and everything. It is true that they were not troubling him, but that was insecure, the times were able to change and to have to return to the mountain. He wanted what was promised: the pardon, recordóns (an oath)! And he formulated/expressed his claim as quickly in Valencian as in a Castilian with unintelligible pronunciation.

"You will have it, man, you will have it. It is about to come; it will be one of these days."

Sonrió Bolsón con ironía cruel. No era tan bruto como le creían. Había consultado a un abogado de Valencia, que se había reído de él y del indulto. Tenía que dejarse coger, cargarse con paciencia los doscientos o trescientos años que podrían salirle en innumerables sentencias, y cuando hubiese extinguido una parte de presidio, como quien dice de aquí a cien años, podría venir el tal indulto. Basta de broma: de él no se burlaba nadie.

El diputado se inmutó viendo casi perdida la confianza del roder.

—Ese abogado es un ignorante. ¿Crees tú que para el gobierno hay algo imposible? Cuenta con que pronto saldrás de penas: te lo juro.

Y le anonadó con su charla; le encantó con su palabrería, conociendo de antiguo el poder de sus habilidades de parlanchín sobre aquella cabeza fosca.

Recobró el roder poco a poco su confianza en el diputado. Esperaría; pero un mes, nada más. Si después de este plazo no llegaba el indulto, no escribiría, no molestaría más. Él era un diputado, un gran señor, pero para las balas sólo hay hombres.

Y despidiéndose con esta amenaza, requirió el retaco y saludó a toda la reunión. Regresaba a su pueblo; quería aprovechar la tarde, pues hombres como él sólo corren los caminos de noche cuando hay necesidad.

Le acompañaba el carnicero de su pueblo, un mocetón admirador de su fuerza y su destreza, un satélite que le seguía a todas partes.

El diputado los despidió con afabilidad felina.

—Adiós, querido Quico—dijo, estrechando la mano del roder—. Calma, que pronto saldrás de penas. Que estén buenos tus chicos: y dile a tu mujer que aún recuerdo lo bien que me trató cuando estuve en vuestra casa.

Bolsón smiled with cruel irony. He was not so thick-headed as they believed. He had consulted a lawyer from Valencia, who had laughed at him and the matter of the pardon. He had to let himself be caught, to bear with patience the two hundred or three hundred years that could come out of innumerable sentences, and when a part of the imprisonment, a hundred years from now so to speak, had passed (been extinguished), the pardon could arrive. Enough of jokes: no one made fun of him.

The deputy became perturbed seeing the confidence of the outlaw almost lost.

"That lawyer is an ignorant person. Do you believe that for the government there is anything impossible? Count upon it that soon you will be out of trouble: I swear it to you."

And he overwhelmed him with his chatter: he charmed him with his verbiage/wordiness, knowing of old the power of his skill as a fluent-talker upon that sullen/stubborn head.

The outlaw recovered little by little his confidence in the deputy. He would wait: but a month, nothing more. If after this period the pardon did not arrive, he would not write, he would not trouble him more. He was a deputy, a great gentleman, but for bullets there were only men.

And taking his leave with this menace, he reached for his fowling piece and waved to all the gathering. He was returning to his village; he wanted to take advantage of the afternoon, because men like him only travelled the roads at night when it was necessary.

The butcher of his village accompanied him, a sturdy-young admirer of his strength and skill, a satellite who followed him everywhere.

The deputy said goodbye to them with catlike affability.

"Goodbye, dear Quico" he said, shaking the hand of the outlaw, "Don't worry (be calm), you will soon be out of trouble. May your children be good: and tell your wife that I still remember how well she treated me when I was in your house."

El roder y su acólito tomaron asiento en la tartana de su pueblo, entre tres vecinas, que saludaron con afecto al señor Quico, y unos cuantos chicuelos que pasaban las manos por el cargado retaco, como si fuese una santa imagen.

La tartana avanzaba dando tumbos por entre los huertos de naranjos, cargados de flor de azahar. Brillaban las acequias, reflejando el dulce sol de la tarde, y por el espacio pasaba la tibia respiración de la primavera impregnada de perfumes y rumores.

Bolsón iba contento. Cien veces le habían prometido el indulto, pero ahora era de veras. Su admirador y escudero le oía silencioso.

Vieron en el camino una pareja de la Guardia civil, y Bolsón la saludó amigablemente.

En una revuelta apareció una segunda pareja, y el carnicero se movió en su asiento como si le pinchasen. Eran muchas parejas en camino tan corto. El roder le tranquilizó. Habían concentrado la fuerza del distrito por el viaje de don José.

Pero un poco más allá encontraron la tercera pareja, que, como las anteriores, siguió lentamente al carruaje, y el carnicero no pudo contenerse más. Aquello le olía mal.

—¡Bolsón, aún era tiempo! A bajar en seguida; a huir por entre los campos hasta ganar la sierra.

Si nada iba con él, podía volver por la noche a casa.

—Sí, señor Quico, sí—decían las mujeres asustadas. Pero el señor Quico se reía del miedo de aquellas gentes.

—Arrea, tartanero... arrea.

Y la tartana siguió adelante, hasta que de repente saltaron al camino quince o veinte guardias, una nube de tricornios con un viejo oficial al frente. Por las ventanillas entraron las bocas de los fusiles apuntando al roder, que permaneció inmóvil y sereno, mientras que mujeres y chiquillos se arrojaban chillando al fondo del carruaje.

The outlaw and his acolyte took seats in the light-carriage of his village, amongst three (women) neighbours, who greeted Señor Quico with affection, and some few young-boys who passed their hands over the loaded fowling piece, as if it were a holy image.

The carriage advanced jolting among the orchards of oranges, laden with the flower of orange-blossom. The irrigation-canals shone, reflecting the sweet sun of the afternoon, and through the air passed the gentle-warm/tepid breath of the spring, impregnated with scents and murmuring-sounds.

Bolsón went contented. A hundred times they had promised him the pardon, but now it was for true. His admirer and squire (i.e. the butcher. lit: shield bearer) heard him silently.

They saw in the road a pair of the Guardia Civil, and Bolsón greeted them amicably.

In a turn (i.e. of the road) appeared a second pair, and the butcher shifted in his seat as if they were jabbing him. They were a lot of pairs in a road so short. The outlaw calmed him. They had concentrated the force of the district for the journey of Don José.

But a little further beyond they found the third pair, that, like the preceding ones, slowly followed the carriage, and the butcher was unable to contain himself further. That smelt bad to him.

"Bolsón! There is still time! To get down at once; to flee through the fields until reaching the mountains.

If nothing happened to him, he could return home by night.

"Yes, Señor Quico, yes" said the frightened women. But Señor Quico laughed at the fear of those people.

"Get a move on, coach-driver.... get a move on."

And the carriage continued onward, until suddenly fifteen or twenty guards, a cloud of three-cornered-hats, with an old officer at the front, burst-out on to the road. Through the little windows entered the muzzles of the guns aiming at the outlaw, who stayed motionless and serene, whilst women and little-children threw themselves shrieking to the back of the carriage.

—Bolsón, baja o te matamos—dijo el teniente.

Bajó el roder con su satélite, y antes de poner pie en tierra ya le habían quitado sus armas. Aún estaba impresionado por la charla de su protector, y no pensó en hacer resistencia, por no imposibilitar su famoso indulto con un nuevo crimen.

Llamó al carnicero, rogándole que corriese al pueblo para avisar a don José. Sería un error, una orden mal dada.

Vio el mocetón cómo se le llevaban a empujones a un naranjal inmediato, y salió corriendo camino abajo por entre aquellas parejas, que cerraban la retirada a la tartana.

No corrió mucho. Montado en su jaco encontró a uno de los alcaldes que habían estado en la fiesta... ¡Don José! ¿Dónde estaba don José?

El rústico sonrió como si adivinara lo ocurrido... Apenas se fue Bolsón, y el diputado había salido a escape para Valencia.

Todo lo comprendió el carnicero: la fuga, la sonrisa de aquel tío y la mirada burlona del viejo teniente cuando el roder pensaba en su protector, creyendo ser víctima de una equivocación.

Volvió corriendo al huerto, pero antes de llegar, una nubecilla blanca y fina como vedija de algodón se elevó sobre las copas de los naranjos, y sonó una detonación larga y ondulada, como si se rasgase la tierra.

Acababan de fusilar a Bolsón.

Le vio de espaldas sobre la roja tierra, con medio cuerpo a la sombra de un naranjo, ennegrecido el suelo con la sangre que salía a borbotones de su cabeza destrozada. Los insectos, brillando al sol como botones de oro, se balanceaban ebrios de azahar, en torno de sus sangrientos labios.

El discípulo se mesó los cabellos. ¿Así se mataba a los hombres que son hombres?

El teniente le puso una mano en el hombro.

"Bolsón, get down or we kill you" said the lieutenant.

The outlaw got down with his satellite, and before putting a foot on the ground they had already removed his weapons. He was still impressed by the talk of his protector, and did not think of making resistance, so as not to make impossible his famous pardon with a new crime.

He called to the butcher, begging him that he should run to the village in order to inform Don José. It would/must be an error, an order badly given.

The young-lad saw how they took him with shoves to an orange grove nearby, and he went off running down the road between those pairs, that closed the retreat to the carriage.

He did not run much. He found, mounted on his pony, one of the mayors who had been at the festivity.... Don José! Where was Don José?

The rustic smiled as if he were guessing what (had) occurred. Scarcely was Bolsón gone, and the deputy had left rapidly for Valencia.

The butcher understood it all; the flight (i.e. of the deputy), the smile of that bloke (i.e. the rustic. lit: uncle) and the mocking look of the old lieutenant when the outlaw was thinking of his protector, believing (himself) to be victim of a mistake.

He returned running to the orchard, but before arriving, a little-cloud, white and fine like a tuft of cotton arose over the canopies/tops of the orange-trees, and a detonation, long and undulating, sounded as if the earth were tearing itself.

They had just finished shooting Bolsón.

He saw him on his back upon the red earth, with half his body in the shade of an orange-tree, the ground blackened with the blood that was coming out bubbling from his destroyed head. The insects, shining in the sun like buttons of gold, were swaying drunk with orange-blossom, around his bloody lips.

The disciple tore his hair. Men who are men were killed like this?

The lieutenant put a hand on his shoulder.

—Tú, aprendiz de roder, mira cómo mueren los pillos.

El aprendiz se revolvió con fiereza, pero fue para mirar a lo lejos, como si a través de los campos pudiera ver el camino de Valencia, y sus ojos, llenos de lágrimas, parecían decir: «Pillo, sí; pero más pillo es el que huye.»

"You, apprentice of the outlaw, look how rogues die."

The apprentice turned with fierceness, but it was in order to look into the distance, as if through the fields he were able to see the road to Valencia, and his eyes, full of tears seemed to say: 'Rogue, yes, but more rogue is the one who runs away.'

3. El Gemelo

La condesa de Noroña, al recibir y leer la apremiante esquela de invitación, hizo un movimiento de contrariedad. ¡Tanto tiempo que no asistía a las fiestas! Desde la muerte de su esposo: dos años y medio, entre luto y alivio de luto. Parte por tristeza verdadera, parte por comodidad, se había habituado a no salir de noche, a recogerse temprano, a no vestirse y a prescindir del mundo y sus pompas, concentrándose en el amor maternal, en Diego, su adorado hijo único.

Sin embargo, no hay regla sin excepción: se trataba de la boda de Carlota, la sobrina predilecta, la ahijada... No cabía negarse.

«Y lo peor es que han adelantado el día -pensó-. Se casan el dieciséis... Estamos a diez... Veremos si mañana Pastiche me saca de este apuro. En una semana bien puede armar sobre raso gris o violeta mis encajes. Yo no exijo muchos perifollos. Con los encajes y mis joyas...»

Tocó un golpe en el timbre y, pasados algunos minutos, acudió la doncella.

-¿Qué estabas haciendo? -preguntó la condesa, impaciente.

-Ayudaba a Gregorio a buscar una cosa que se le ha perdido al señorito.

-Y ¿qué cosa es esa?

-Un gemelo de los puños. Uno de los de granate que la señora condesa le regaló hace un mes.

-¡Válgame Dios! ¡Qué chicos! ¡Perder ya ese gemelo, tan precioso y tan original como era! No los hay así en Madrid.

-¡Bueno! Ya seguiréis buscando; ahora tráete del armario mayor mis Chantillíes, los volantes y la capa. No sé en qué estante los habré colocado. Registra.

3. The Cufflink (also: the twin)

The countess of Noroña, on receiving and reading the pressing note of invitation, made a movement (gave a shrug) of annoyance. She had not attended parties for such a long time! Since the death of her husband: two and a half years, between mourning and semi-mourning. Partly from true sadness, partly for convenience, she had become accustomed to not going out at night, to retiring (i.e. going to bed) early, to not dressing up and to doing without the world and its pomps (splendours), devoting herself to maternal love, to Diego, her adored only son.

However there is no rule without exception: it concerned the marriage of Carlota, the favourite niece, the goddaughter.... It was not possible to refuse.

'And the worst is that they have advanced the day' she thought. 'They marry on the sixteenth.. Today is (We are at) the tenth. We will see tomorrow if Pastiche gets me out of this difficulty. In a week she is easily able to get ready my lace on grey or violet satin. I do not require (demand) many accessories. With the lace and my jewels...'

She gave a tug on the bell and, some minutes later, the maid came.

"What were you doing?" asked the Countess, impatiently.

"I was helping Gregorio to look for a thing that the señorito has lost."

"And what thing is this?"

"A cuff link (puño: fist/cuff). One of those of garnet that the Señora Countess gave him a month ago."

"God bless me! Boys! To lose that cuff-link already, so beautiful (precious) and original (unique) as it was! There are none like that in Madrid."

"Good! Indeed you will continue looking: now bring me from the large wardrobe my Chantilly (i.e. lace), the ruffles and the cape. I do not know in which shelf I will have placed them. Search."

La sirvienta obedeció, no sin hacer a su vez ese involuntario mohín de sorpresa, que producen en los criados ya antiguos en las casas, las órdenes inesperadas, que indican variación en el género de vida.

Al retirarse la doncella la dama pasó al amplio dormitorio y tomó de su secrétaire un llavero, de llaves menudas; se dirigió a otro mueble, un escritorio-cómoda Imperio, de esos que al bajar la tapa forman mesa y tienen dentro sólida cajonería, y lo abrió, diciendo entre sí:

«Suerte que las he retirado del Banco este invierno... Ya me temía que saltase algún compromiso.»

Al introducir la llavecita en uno de los cajones, notó con extrañeza que estaba abierto.

-¿Es posible que yo lo dejase así? -murmuró, casi en voz alta.

Era el primer cajón de la izquierda. La condesa creía haber colocado en él su gran rama de eglantinas de diamantes. Solo encerraba chucherías sin valor, un par de relojes de esmalte, papeles de seda arrugados. La señora, desazonada, turbada, pasó a reconocer los restantes cajones. Abiertos estaban todos; dos de ellos astillados y destrozada la cerradura. Las manos de la dama temblaban; frío sudor humedecía sus sienes. Ya no cabía duda; faltaban de allí todas las joyas, las hereditarias y las nupciales. Rama de diamantes, sartas de perlas, collar de chatones, broche de rubíes y diamantes... ¡Robada! ¡Robada!

Una impresión extraña, conocida de cuantos se han visto en caso análogo, dominó a la condesa. Por un instante dudó de su memoria, dudó de la existencia real de los objetos que no veía.

Inmediatamente se le impuso el recuerdo preciso, categórico. ¡Si hasta tenía presente que al envolver en papeles de seda y algodones en rama el broche de rubíes, había advertido que parecía sucio, y que era necesario llevarlo al joyero a que lo limpiase!

The servant obeyed, not without making in her turn that involuntary grimace of surprize, which unexpected orders, that indicate a change in the general way of life, produce in the old-established servants of houses.

On the maid withdrawing the lady went to the large bedroom and took from her desk a keyring, of little keys; she took herself to another piece of furniture, an Empire-style writing desk, one of those that on lowering the lid form a table and have within a solid set-of-drawers, and opened it, saying to herself:

'Lucky that I have withdrawn them from the Bank this winter. Indeed I feared that some engagement might come up.'

On introducing the little key in one of the drawers, she noted with surprize that it was open.

"Is it possible that I should leave it so?" she murmured, almost aloud.

It was the first drawer on the left. The countess believed she had placed in it her diamond eglantine brooch. It only contained trinkets without value, a pair of enamel watches, creased tissue papers. The Señora, uneasy, alarmed, went on to examine the remaining drawers. All were open, two of them splintered and the lock destroyed. The hands of the lady trembled; cold sweat moistened her temples. Now there was no doubt possible; all the jewels were missing from there, those inherited and those from marriage. Diamond brooch, strings of pearls, necklace of large gems, brooch of rubies and diamonds...Stolen! Stolen!

A strange sensation, known/familiar to all who have seen it in similar cases, overcame (dominated) the Countess. For an instant she doubted her memory, doubted the real existence of the objects that she was not seeing.

Immediately the exact, positive recollection asserted itself upon her. She even had it present/clear (i.e. in her memory) that on wrapping up the ruby brooch in tissue papers and raw cotton, she had noticed that it appeared dirty, and that it was necessary to take it to the jeweller so that he should clean it!

«Pues, el mueble estaba bien cerrado por fuera - calculó la señora, en cuyo espíritu se iniciaba ese trabajo de indagatoria que, hasta sin querer, verificamos ante un delito-.

Ladrón de casa. Alguien que entra aquí con libertad a cualquier hora; que aprovecha un descuido mío para apoderarse de mis llaves; que puede pasarse aquí un rato probandolas... Alguien que sabe, como yo misma, el sitio en que guardo mis joyas, su valor, mi costumbre de no usarlas en estos últimos años.»

Como rayos de luz dispersos que se reúnen y forman intenso foco, estas observaciones confluyeron en un nombre:

-¡Lucía!

¡Era ella! No podía ser nadie más. Las sugestiones de la duda y del bien pensar, no contrarrestaban la abrumadora evidencia. Cierto que Lucía llevaba en la casa ocho años de excelente servicio. Hija de honrados arrendadores de la condesa; criada a la sombra de la familia de Noroña, probada estaba su lealtad por asistencia en enfermedades graves de los amos, en que había pasado semanas enteras sin acostarse, velando, entregando su juventud y su salud con la generosidad facil de la gente humilde.

«Pero -discurría la condesa- cabe ser muy leal, muy dócil, hasta desinteresado..., y ceder un día a la tentación de la codicia, dominadora de los demás instintos. Por algo hay en el mundo, llaves, cerrojos, cofres recios; por algo se vigila siempre al pobre cuando la casualidad o las circunstancias le ponen en contacto con los tesoros del rico...»

En el cerebro de la condesa, bajo la fuerte impresión del descubrimiento, la imagen de Lucía se transformaba -fenómeno psíquico de los más curiosos-. Se borraban los rasgos de la criatura buena, sencilla, llena de abnegación, y aparecía una mujer artera, astuta, codiciosa, que aguardaba, acorazada de hipocresía, el momento de extender sus largas uñas y arramblar con cuanto existía en el guardajoyas de su ama...

'Well, the piece of furniture was well closed on the outside' calculated the Señora, in whose mind was beginning that work of investigation that, even without wanting to, we begin to carry out in the presence of a crime.

'Thief from the house. Someone who enters here with freedom at any hour; who takes advantage of a carelessness of mine in order to take possession of my keys; who is able to spend (pass) a while here trying them. Someone who knows, like myself, the place in which I keep my jewels, their value, my habit of not using them in these recent years.'

As scattered rays of light that join up and form an intense focus, these observations came together in one name:

'Lucía!'

'It was she! It could not be anyone else'. The promptings of doubt and of thinking well, did not counteract the overwhelming evidence. Certainly Lucía had given eight years of excellent service. Daughter of honourable tenants of the Countess; brought up under the protection (lit: shadow) of the family of Noroña, her loyalty was proven by assistance with serious illnesses of her masters (employers), in that she had passed entire weeks without going to bed, keeping watch (at night), giving up her youth and her health with the easy/ready generosity of humble people.

'But' reasoned the Countess, 'It is possible to be very loyal, very submissive, even unselfish... and to yield one day to the temptation of the greed, the dominator of the other instincts. With reason there are in the world, keys, bolts, strong boxes; with reason always one keeps watch over the poor person when chance or circumstances puts him in contact with the treasures of the rich...'

In the brain of the Countess, under the powerful impression of the discovery, the image of Lucîa was transforming itself - a mental phenomenon of the most curious sort. - The features of the good creature, simple, full of self-denial, were erasing themselves and an artful woman was appearing, astute/sly, greedy, who awaited, armed with hypocrisy, the moment to extend her long claws (lit: nails) and to make off with all that existed in the jewel-box of her mistress.

«Por eso se sobresaltó la bribona cuando le mandé traer los encajes - » pensó la señora, obedeciendo al instinto humano de explicar, en el sentido de la preocupación dominante, cualquier hecho-.

«Temió que al necesitar los encajes necesitase las joyas también. ¡Ya, ya! Espera, que tendrás tu merecido. No quiero ponerme con ella en dimes y diretes: si la veo llorar, es fácil que me entre lástima, y si le doy tiempo a pedirme perdón, puedo cometer la tontería de otorgárselo. Antes que se me pase la indignación, el parte.»

La dama, trémula, furiosa, sobre la misma tabla de la cómoda-escritorio trazó con lápiz algunas palabras en una tarjeta, le puso sobre y dirección, hirió el timbre dos veces, y cuando Gregorio, el ayuda de cámara, apareció en la puerta, se la entregó.

-Esto, a la comisaría, ahora mismo.

Sola otra vez, la condesa volvió a fijarse en los cajones.

«Tiene fuerza, la ladrona -pensó, al ver los dos que habían sido abiertos violentamente-. Sin duda, en la prisa, no acertó con la llavecita propia de cada uno, y los forzó. Como yo salgo tan poco de casa y me paso la vida en ese gabinete...»

Al sentir los pasos de Lucía que se acercaba, la indignación de la condesa precipitó el curso de su sangre, que dio, como suele decirse, un vuelco. Entró la muchacha trayendo una caja chata de cartón.

-Trabajo me ha costado hallarlos, señora. Estaban en lo más alto, entre las colchas de raso y las mantillas.

La señora no respondió al pronto. Respiraba para que su voz no saliese de la garganta demasiado alterada y ronca. En la boca revolvía hieles; en la lengua le hormigueaban insultos. Tenía impulsos de coger por un brazo a la sirvienta y arrojarla contra la pared. Si le hubiesen quitado el dinero que las joyas valían, no sentiría tanta cólera; pero es que eran joyas de familia, el esplendor y el decoro de la estirpe..., y el tocarlas, un atentado, un ultraje...

'That's why the rogue was startled when I ordered her to bring the lace' thought the Señora, obeying the human instinct to explain whatever event, according to the dominating concern.

'She feared that on needing the lace I should need the jewels as well. Of course! You wait, you will have your deserts. I do not want to find myself with her in futile discussions: if I see her cry, it is easy for pity to come upon me, and if I give her time to beg my pardon, I am able to commit the foolishness of granting it to her. Before the indignation/anger leaves me, the report (i.e. to the police).'

The lady, trembling, furious, drafted with a pencil upon the same top of the writing desk, some words on a card, gave it an envelope and address, struck the bell two times and when Gregorio, the valet appeared at the door, she gave it to him.

"This, to the police station, right now."

Alone again, the Countess concentrated again on the drawers,

"She had strength, the thief" she thought, on seeing the two that had been opened violently. "Without doubt, in her haste, she did not come upon the little key belonging to each one and she forced them. As I leave the house so little, and I pass my life in this sitting room......."

On sensing the steps of Lucía who was approaching, the indignation of the Countess quickened the course of her blood (i.e. her pulse) that gave, as one is accustomed to say, a skip. The girl entered bringing a flat box of cardboard.

"It cost me an effort to find them, Señora. They were in the highest place, among the satin quilts and the mantillas."

The Señora did not answer at promptly. She breathed in order that her voice should not leave her throat too altered and hoarse. In her mouth bitterness (bitter words) turned over; on her tongue swarmed insults. She had promptings (impulses) to catch the servant by an arm and to throw her against the wall. If they had taken from her the money that the jewels were worth, she would not feel such anger; but they were family jewels, the splendour and ornament of the family-line...and the touching of them, an offence, an outrage....

Se domina la voz, se sujeta la lengua, se inmovilizan las manos...; los ojos, no.

La mirada de la condesa buscó, terrible y acusadora, la de Lucía, y la encontró fija, como hipnotizada, en el mueble-escritorio, abierto aún, con los cajones fuera. En tono de asombro, de asombro alegre, impremeditado, la doncella exclamó, acercándose:

-¡Señora! ¡Señora! Ahí..., en ese cajoncito del escritorio... ¡El gemelo que faltaba! ¡El gemelo del señorito Diego!

La condesa abrió la boca, extendió los brazos, comprendió... sin comprender. Y, rígida, de golpe, cayó hacia atrás, perdido el conocimiento, casi roto el corazón.

The voice is controlled, the tongue is restrained, the hands are kept motionless ....; the eyes, no.

The gaze of the Countess, terrible and accusing, looked for that of Lucía, and found it fastened, as though hypnotized, on the writing desk, still open, with the drawers out. With tone of astonishment, of happy astonishment, unpremeditated, the maid approaching exclaimed:

"Señora! Señora! Here in this little drawer of the writing desk...The cufflink that was missing! The cufflink of Señorito Diego!"

The Countess opened her mouth, reached out her arms, understood...without understanding. And, rigid, of a sudden, fell backwards, her consciousness lost, her heart almost broken.

4. El Primer Tenor

I

La figura extraña y melancólica de aquel pobre Saturnino Málzaga, siempre envuelta en la flotante y amplia capa sacerdotal, no se borrará en mucho tiempo de mis ojos, tan hechos á verle siempre de igual modo, siempre como envuelto en ambiente de recogimiento y tristeza que de pronto alejaba del pobre muchacho, pero que luego, bien observado, era como un atractivo más.

La vez primera que le vi me hizo el efecto que me hubiera hecho cualquier cura de aldea, recién salido del Seminario y en los comienzos de la cura de almas: á la cuarta vez que le vi sentado, como de costumbre, en el pórtico de la catedral y con los ojos fijos en el tímpano poblado de angelitos y santas, su grave persona me interesó hasta el punto de preguntar por él al organista, el viejo Compasillo, con quien le ligaban relaciones que al pronto me parecieron misteriosas y que luego me expliqué claramente.

Compasillo me contó una tarde, después de vísperas y en el coro mismo de la catedral, mientras entonaba el órgano, tirando de los registros con sus manos fósiles, la tremenda historia de Saturnino Málzaga, historia que nadie ha contado todavía, y que ninguno sospecharía lo cuando en los días de función solemne, oía salir del coro aquella su voz de tenor, que sonaba á angelical melodía.

II

Satur no supo en mucho tiempo que llevaba en la garganta tan maravilloso tesoro; cantaba en la iglesia los domingos y pastoreaba el resto de la semana, mezclando así la guarda de cabras y la devoción, sin sospechar que hubiese más allá.

El aire libre, lleno del acre aroma del campo, organizó prodigiosamente su garganta dando á su voz de adolescente, firmeza y extensión excepcionales.

4. The First Tenor

I

The strange and melancholy figure of that poor Saturnino Málzaga, always wrapped in his flowing and ample priestly cloak, will not be erased in a long time from my eyes, so used to seeing him always in the same way, always as though wrapped in an atmosphere of absorption and sadness that at first alienated the poor boy, but that later, well observed, was like a further attraction.

The first time that I saw him he had the effect on me that any priest from a village, recently coming out of the seminary and in the beginnings of the cure/healing of souls, would have made; on the fourth time that I saw him seated, as usual, in the entrance of the cathedral and with his eyes fixed on the tympanum populated with little-angels and saints, his serious persona interested me to the point of enquiring about him with the organist, old Compasillo, with whom relations linked him, which at first seemed to me mysterious, and which later I understood clearly.

Compasillo told me one afternoon, after vespers and in the very choir of the cathedral, whilst he played the organ, pulling out the stops with his fossilised (i.e. very old) hands, the extraordinary story of Saturnino Málzaga, a story that still nobody has told, and that no-one would suspect when in those days of a solemn function/service that tenor voice of his, that sounded like an angelic melody was heard coming out of the choir.

II

Satur did not know for a long time that he carried in his throat such a marvellous treasure; he sang in the church on Sundays and was a shepherd the rest of the week, mixing in this way the care of goats and devotion, without suspecting that there might be anything beyond this.

The free/fresh air, full of the pungent aroma of the countryside, sorted out his throat prodigiously, giving his voice of an adolescent, exceptional firmness and range.

45

Y cuando en las serenas noches de verano volvía al caserío, sonaba su canción en la cañada y bajo la arboleda, como eco de finísimo instrumento no inventado por hombres.

Retardaban el paso, para oirle, los que pasaban por la carretera, y todo callaba, incluso el aserreo de la chicharra y la nota invariable del cuclillo.

Satur era reflexivo. Hecho á contemplar la naturaleza, se había ido llenando su espíritu de aspiraciones inexplicables, de deseos de la soledad y el sosiego, de tendencias á un estado perfecto que le permitiese ser solo y casto, inmutable y sereno, como aquellos campos dormidos bajo el lejano parpadeo de las estrellas.

Pensó en hacerse cura, en vivir, como buen cura, en su casita, solitaria y limpia como locutorio monjil, en andar por la carretera para escoger un lugar de ella en que sentarse, para meditar y rezar.

Para hacerse cura se necesitaba dinero, y el dinero podría venirle de aquella voz que todos le alababan y que podía ser util en el coro de la catedral.

Satur pensó en ello dos meses, y se decidió en un minuto. Tomó carretera adelante y se fué á ver á Compasillo.

III

El organista estaba, cuando llegó Satur, ocupado en copiar su misa, una misa inédita que pensaba legar á sus contemporáneos, y en vigilar la cocción de una compota de pera, operaciones ambas que llevaba de frente con el mayor desembarazo.

Cuando Satur entró, todo encogido, y le dijo que quería ser niño de coro en la catedral. Compasillo retiró del fuego la compota, levantó las gafas, y le miró.

— Muy zagalón eres tú ya para niño de coro — le dijo, — pero te probaré.

And when in the serene/calm nights of summer he returned to the hamlet, his song rang out in the ravine and below the grove, like the echo of a very fine instrument not invented by men.

Those that passed along by the road would slow their step, in order to hear him, and everything kept quiet, including the grating sound of the cicada and the invariable note of the cuckoo.

Satur was reflective. Made to contemplate nature, he had been filling his spirit with inexplicable aspirations, with desires for solitude and calmness, of tendencies to a perfect state that might permit him to be alone and chaste, unchanging and serene, like those fields asleep below the distant flickering of the stars.

He thought of becoming a priest, of living, like a good priest, in his little house, secluded and clean like a monastic reception room, of walking along the road in order to find in it a place in which to sit, in order to meditate and to pray.

In order to become a priest money was needed, and the money would be able to come to him from that voice, that all praised and that could be useful in the choir of the cathedral.

Satur thought about it for two months, and decided in a minute. He took the road ahead and went to see Compasillo.

III

When Satur arrived, the organist was occupied in copying out his mass, an unpublished mass that he thought to bequeath to his contemporaries, and in watching over the cooking of a compote of pear, both operations which he carried out with the greatest ease.

When Satur entered, all bashful, and told him that he wanted to be a boy of the choir in the cathedral, Compasillo drew back the compote from the heat, raised his glasses, and looked at him.

"You are a very strapping young lad now for a boy in the choir" he said to him, "but I will test you."

Satur no supo qué cosa fuese probarle.

Compasillo abrió el piano y tecleó una escala desde el *do* al *re* agudo.

— Canta tú ahora esto.

Satur cantó con indecisión al principio, con seguridad después, y llegó como con la mano al *sí*.

— ¡ Caracoles ! — exclamó Compasillo todo trémulo. — A ver otra vez.

Satur dio el *si* con facilidad mayor que la vez primera y se quedó mirando al venerable Compasillo, el cual se volvió á él girando sobre la banqueta del piano, y le dijo, cruzándose de brazos y mirándole muy serio á través de las gafas:

— Muchacho, estás á punto de tener una voz de tenor asombrosa. Aprende música á escape y dedícate al teatro; el mundo es tuyo.

Satur no entendió bien.

— Yo quiero ser cura — contestó.

— ¡ Cura ! — exclamó Compasillo asombrado — ¡ cura tú, con esa voz ! ¡ Imposible !

Sí, señor, cura — replicó obstinado Satur. — Con lo que usted me dé en la capilla hago la carrera.

— ¿ Pero tú sabes lo que vas á hacer? — dijo no menos obstinadamente Compasillo. — ¿Tú sabes que vas á tirar á la calle un tesoro ? ¿ Tú sabes que ......?

Por aquí siguió el organista machacando en la rebelde cabeza de Satur, presentándole el porvenir, de un virtuoso mimado por públicos y empresas, haciendo esfuerzos para que el muchacho comprendiese que lo que iba á hacer, tenía apariencias de suicidio.

Nada sacó en limpio.

Satur le oyó con atención, volviendo y revolviendo la boina entre los dedos, y cuando Compasillo, muy excitado con la parrafada, acabó, mirándole interrogante, Satur no dijo más que esto: — Pues yo quiero ser cura.

Satur did not know what thing testing him might be.

Compasillo opened the piano and played a scale from the C to the D sharp.

"Now you sing that."

Satur sang with indecision/hesitancy at first, with sureness afterwards, and arrived with perfect ease at the B.

"Snails! (Goodness)" exclaimed Compasillo all trembling. "Let's see again."

Satur provided the B with greater facility/ease than the first time and remained looking at the venerable Compasillo, who turned to him, rotating upon the piano stool, and said to him, crossing his arms and looking at him very seriously through his glasses.

"Boy, you are on the point of having an astonishing tenor voice. Learn music quickly and dedicate yourself to the theatre; the world is yours."

Satur did not well understand.

"I want to be a priest" he answered.

"A priest!" exclaimed Compasillo amazed, "You a priest with that voice! Impossible!"

"Yes, señor, a priest" replied Satur obstinately. "With what you may give me in the chapel I make my profession."

"But do you know what you are going to do?" said Compasillo no less obstinately. "Do you know that you are going to throw a treasure into the street? Do you know that....?"

From here the organist continued pounding away at the rebellious head of Satur, presenting/showing him the future, of a virtuoso petted by the public and businesses (i.e. of theatres), making efforts in order that the boy should understand that what he was going to do, had the appearance of suicide.

He got nowhere.

Satur listened to him with attention, twisting and turning his beret between his fingers, and when Compasillo very excited with his talk, finished, looking at him inquiringly, Satur did not say more than this: "Well I want to be a priest."

IV

Y lo fué.

Muy apesadumbrado Compasillo, viendo que aquella prodigiosa voz, que él había descubierto, según decía, no iba á servir de nada ó poco menos, le recomendó al cabildo catedral, y le hizo cantar un día delante del señor magistral, el cual fué á contar al señor obispo que había dado con una joya que no pedía más que facilidades para ser propiedad de la iglesia.

Le oyó también Su Ilustrísima; opinó como el magistral, y para evitar que Satur volviese de su acuerdo se le hizo cura más pronto de lo que él hubiera esperado.

Nunca se oyó en la catedral voz de tenor como la que salía de la garganta de aquel curita, que cantaba recogido y modesto en un rincón del coro, ni se vio tampoco nunca cara más compungida que la que ponía Compasillo cada vez que, en el augusto silencio del ofertorio, llenaba sus oídos el regalo de aquella voz prodigiosa, que hacía decir á los capitulares con cierto orgullo:

— Nuestro tenor.

Llegó por entonces á la capital de que hablo (porque se trata de una capital) una compañía de ópera en la que figuraba un armonioso tenor; el cual tenor hizo su *debut* con *La Favorita*.

Compasillo, que tenía un abono fijo de localidad alta, llevó al teatro á Satur -- que por vez primera iba á saber qué cosa era una ópera -- y cuando asomó Fernando y se hizo en la sala un silencio sepulcral para no perder notas que tan caras costaban, el organista dijo al oído de Satur:

¿Ves ése que es ahí y fuera de ahí un rey? Pues ése vale mucho menos que tú.

El tenor cantó muy bien, justo es decirlo, como un angelo, y Satur le oyó desde su rincón con avidez silenciosa. Acabado el primer acto, maestro y discípulo se miraron, y no sé qué profundo y negro pensamiento vió Compasillo en los ojos húmedos de Satur, que no se atrevió á decirle nada.

IV

And he was.

Very distressed, Compasillo -- seeing that that prodigious voice, that he had discovered, as he said, was going to serve for nothing or a little less -- recommended him to the cathedral chapter, and he made him sing one day in front of the canon, who went to tell the bishop that he had come across a jewel who did not ask for more than the means in order to be the property of the church.

His Grace also heard him; he thought like the canon, and in order to avoid Satur turning back from his resolution, he made him a priest more quickly than he might have expected.

Never was heard in the cathedral a tenor voice like the one that came out of the throat of that little priest, who sang retiring and modest in a corner of the choir, nor either was seen a face more remorseful than the one that Compasillo assumed each time that, in the august silence of the offertory, their ears were filled with the gift of that prodigious voice that made the chapter-members say with a certain pride:

"Our tenor."

About then there arrived at the capital of which I speak (because it is a capital) an opera company in which featured a harmonious tenor; which tenor made his *debut* with *La Favorita* (a Donizetti opera).

Compasillo, who had a season ticket for a high seat (i.e. in upper balcony) took Satur -- who for the first time was going to know what thing was an opera -- to the theatre, and when Fernando appeared and a sepulchral silence was achieved in the hall in order not to lose the notes that cost so dearly, the organist said in the ear of Satur:

"Do you see the one that is here and there (i.e. on and off the stage) a king? Well he is worth much less than you."

The tenor sang very well, it is fair to say, like an angel, and Satur listened to him from his corner with silent eagerness. The first act over, the master and disciple/pupil looked at each other, and I do not know what deep and black thought Compasillo saw in the moist eyes of Satur, who did not dare to say anything to him.

Y al final, cuando después del *spirito gentile* el teatro entero se fué sobre el tenor con una ovación, que dejó memoria en la capital, Satur cogió nervioso del brazo al organista y le dijo con la voz alterada:

— Vamonos D. Santiago . . . Yo no puedo ver esto ... yo canto mejor que ése . . . mucho mejor.

Al salir tuvieron que esperar á que una nube de fracs fuese pasando por la estrecha puerta del escenario. Eran los admiradores.

El desventurado Satur llegó á su cuarto pobre y desnudo, y se echó en la cama con picante deseo de llorar; no pudo: toda la noche se estuvo mirando en sus ojos despabilados la imagen de aquel tenor que entraba y salía en aquel escenario brillante como una ascua.

Le adivinaba en su camerino dando y recibiendo apretones de manos, sonriendo como un vencedor, y luego una noche embarcarse seguido de dos criados, en un departamento del Sud-expreso, como un príncipe ruso, dejando detrás de sí estela de oro y rumor de vítores.

Veinte veces se levantó febril y estuvo á punto de rasgar su limpia sotana que colgaba del modesto perchero de nogal, y otras tantas se echó mano á la garganta para no darse á sí mismo el escándalo de cantar á todo pulmón aquel *spirito gentile* que le zumbaba melodioso en los oídos.

Al fin, ya con los primeros albores del día, vencido por la tremenda lucha sostenida consigo mismo, se durmió. Al siguiente día despertó con fiebre, y con ella estuvo más de un mes, al cabo del cual, extenuado moral y físicamente, se fué á la aldea.

La pesadumbre que agobiaba su espíritu duró un año. Poco á poco, con lentos trabajos de razonamientos consigo mismo, consiguió restablecer el equilibrio profundamente perturbado.

And at the end, when after the *spirito gentile* (an aria in La Favorita) the entire theatre gave the tenor a rousing ovation, that was remembered in the capital (lit: left a memory), Satur nervously grasped the arm of the organist and said to him with his voice altered.

"Let us go Don Santiago..... I am not able to watch this. I sing better than that one.... much better."

On leaving they had to wait whilst a crowd (lit: a cloud) of dress-coats was passing through the narrow stage door. They were the admirers (i.e. of the tenor).

The unfortunate Satur arrived at his room, poor and bare, and he threw himself on the bed with a stinging desire to cry; he was not able to: all night he was seeing in his wide-awake eyes the image of that tenor who entered and left that brilliant stage like a glowing ember.

He imagined (guessed) him in his dressing-room giving and receiving handshakes, smiling like a winner, and later one night setting off, followed by two servants, in a compartment of the Southern Express, like a Russian prince, leaving behind him a wake of gold and the sound of hurrahs.

Twenty times he got up feverish and was on the point of tearing his clean cassock that hung from the modest clothes rack of walnut, and as many (times) he took his hand to his throat in order not to give himself the scandal of singing at the top of his voice (lit: at full lung) that *spirito gentile* that hummed melodiously in his ears.

At last, with the first dawning of day, overcome by the tremendous fight sustained with himself, he slept. On the next day he awoke with a fever, and he had it for more than a month, at the end of which, exhausted morally and physically, he went to his village.

The sorrow that oppressed his spirit lasted a year. Little by little, with slow tasks of reasonings with himself, he managed to re-establish his profoundly disturbed equilibrium.

Pudo volver á la catedral, al modesto y oscuro rincón del coro, en el que le suele contemplar furtivamente el bueno de Compasillo, único hombre capaz de saber lo que pasa en el corazón del primer tenor, cuando en el augusto silencio del ofertorio cae desde el coro, su dulcísima voz mezclada con fugitivo sabor amargo.

He was able to return to the cathedral, to the modest and obscure corner of the choir, in which the good Compasillo usually contemplates him furtively, the only man capable of knowing what goes on in the heart of the first tenor, when in the august silence of the offertory, his sweet voice mixed with a fleeting bitter flavour, falls from the choir.

5. Santificar Las Fiestas

Lunes, 9 de Mayo, tomó D. Cándido posesión de su curato en Santa Cruz de Lugarejo, ocupándose inmediatamente en arreglarse la casa con los pobres y viejos muebles que trajo en una carreta del pueblecillo donde vivió hasta entonces. Durante más de cuarenta y ocho horas, nadie se dio cuenta de que allí había cura nuevo.

Algunos días después, las pocas personas que le vieron y hablaron, esparcieron la voz de que parecía buena persona. Y no se equivocaban, los que tan presto formaron de él juicio favorable, porque D. Cándido era un bendito.

Por su estatura, rostro y porte, traía á la memoria el retrato que hizo Cervantes de su hidalgo inmortal. También D. Cándido *frisaba con los cincuenta años y era de complexión recia, seco de carnes, enjuto de rostro, gran madrugador*, y si no amigo de la caza, como D. Quijote, incansable en el ejercicio de buscar tristezas para aliviarlas.

Sus condiciones morales todas buenas: la piedad sincera, el trato afable, el lenguaje humilde, la caridad modesta, y en todo tan compasivo y tolerante, que, con ser grande, el respeto que imponía, aun era mayor la cariñosa confianza que inspiraba.

Su ilustración no debía de ser extraordinaria. En un cofrecillo, muy chico, cabían los libros que poseía, siendo el de encuadernación más resentida y el de hojas más manoseadas, los Santos Evangelios. Ni los Padres de la Iglesia ni los excelsos místicos le deleitaban tanto como aquellos sencillos versículos, que ofrecen, á quien sabe leerlos, mundos de pensamientos encerrados en frases sobrias.

Todos los días, en seguida de comer, D. Cándido, apoyado en el alféizar de la ventana de su cuarto, releía y meditaba un par de capítulos de San Marcos ó San Mateo.

5. To Keep Sacred The (Religious) Feast Days

On Monday the 9th of May, Don Cándido took possession of his parish in Santa Cruz de Lugarejo, occupying himself immediately in arranging the house with the poor and old furniture that he brought in a cart from the little village where he lived until then. During more than forty-eight hours, no-one realised that there was the new priest there.

Some days afterwards, the few people that saw and spoke to him, spread the word (lit: the voice) that he seemed a good person. And they were not mistaken, those that so quickly formed a favourable judgement of him, because Don Cándido was a saintly person.

By his stature, face and bearing, he brought to mind (lit: to the memory) the portrait that Cervantes made of his immortal nobleman (i.e. Don Quijote). Don Cándido also *was bordering on fifty years of age and was of sturdy constitution, lean of flesh, gaunt of face, a great early-riser,* (quotation from Don Quijote) and if not a friend of hunting, like Don Quijote, untiring in the practice/exercise of looking for sorrows in order to relieve them.

His moral qualities all good; his piety sincere, his manners affable, his language humble, his charity unobtrusive, and in all so compassionate and tolerant, that although the respect he commanded being great, even greater was the affectionate confidence that he inspired.

His erudition could not have been extraordinary. In a little box, very small, were contained the books that he possessed, being the one with the most damaged binding and the one with the pages most handled, the Holy Evangelists. Neither the Fathers of the Church (i.e. the writings of), nor the exalted mystics delighted him as much as those simple verses, that offer, to he who understands how to read them, worlds of thoughts contained in sober sentences.

Every day, immediately after eating, Don Cándido, leaning on the sill of the window of his room, reread and meditated upon a couple of chapters of Saint Mark or Saint Matthew.

Luego dejaba el libro, y tomando el sol y fumando cigarillos, pasaba el rato entretenido en observar cómo trabajaban unos cuantos picapedreros que, en un solar contiguo y vallado, tenían establecido al aire libre su taller.

Se había derrumbado, meses atrás, un arco de la capilla de la iglesia; cierta señora piadosa legó fondos para reconstruirlo; un arquitecto de la ciudad vecina iba de cuando en cuando á inspeccionar la obra; y en aquel espacio inmediato á las habitaciones de D. Cándido, estaban -- resaltando por su blancura sobre la verde y felpuda hierba -- los bloques de caliza, que poco á poco iban tomando la forma deseada.

Allí, desde la mañana hasta la tarde, exceptuada una hora al medio día, se escuchaba continuamente el ruido múltiple y monótono formado por las herramientas al chocar con las piezas de cantería. El sol lo iluminaba todo, lanzando acá y allá las sombras rectangulares é intensas de los tinglados de estera bajo que se resguardaban los peones. Y á ratos de entre aquel rudo concierto que forman el hierro hiriendo, la piedra partiéndose y el eco resonando, se alzaba el canto bravío y triste de una copla medio ahogada por el zumbido, como un suspiro entre las penas de la vida.

Durante los cuatro últimos días de la primera semana que pasó D. Cándido en Santa Cruz de Lugarejo no dejó de asomarse para contemplar á los canteros, y si alguien le observase de cerca, acaso por la emoción reflejada en su rostro, pudiera sospechar que aquella tarea dura y penosa, despertaba en el alma del cura una emoción dulce y compasiva.

El domingo primero que allí pasaba el sacerdote, salió muy temprano de casa, dijo misa, dio un paseo largo, comió más tarde que de costumbre, y poco antes de concluir -- cuando, al levantar el mantel, le trajo el ama los fósforos y el bote de picadura -- oyó que comenzaba á resonar, al principio aislado y débil, luego nutrido y fuerte, el ruido que producían los canteros picando y labrando piedra en el solar vecino.

Then he left the book, and taking the sun and smoking cigarettes, passed a while entertained in observing how were working some stone cutters, who in an adjoining and fenced plot, had their workshop established in the open air.

Months before, an arch of the chapel of the Church had tumbled down; a certain pious lady bequeathed funds in order to reconstruct it; an architect from the nearby city came from time to time to inspect the work; and in that space adjoining the rooms of Don Cándido, were -- standing out by their whiteness upon the green and plush grass, -- the blocks of limestone, that little by little went on taking the form desired.

There, from the morning to the afternoon, except an hour at midday, was heard continuously the multiple and monotonous noise made by the tools on striking the pieces of stone work. The sun illuminated it all, throwing here and there the rectangular and intense/heavy shadows of the open-shed roofs of matting beneath which the labourers sheltered themselves. And at times amid that rough concert, that iron-tools striking, stone splitting and echo resonating, form, rose up the wild and sad singing of a popular-song half drowned by the humming, like a sigh among the sorrows of life.

During the last four days of the first week that Don Cándido passed in Santa Cruz de Lugarejo, he did not fail to look out in order to contemplate the stone-cutters, and if anyone were to have observed him from nearby, perhaps by the emotion reflected in his face, they might have been able to suspect that that hard and arduous task, awakened in the soul of the priest a sweet and compassionate emotion.

The first Sunday that the priest passed there, he came out of the house very early, said mass, took a long walk, ate later than usual, and a little before finishing -- when on taking up the tablecloth, the housekeeper brought him the matches and the jar of cut-tobacco -- he heard, at first isolated and weak, later sustained and strong, that the noise that the stonecutters produced, chipping and working stone in the neighbouring plot, was beginning to resonate.

— ¡ Hasta en domingo ! — murmuró triste y sorprendido D. Cándido: y asomándose á la ventana gritó al trabajador más próximo:

— ¡ Eh ! ¡ Buen amigo! Diga usted al maestro, capataz lo que sea, que haga el favor de subir aquí un instante.

Momentos después estaba el maestro cantero en el comedor del cura. Le obsequió éste con queso nuevo y vino añejo; le dió un pitillo del grosor de un dedo, y en seguida violentándose, forzando su propio natural, le reprendió con la poca y tímida aspereza que su bondad permitía, diciéndole:

— ¡ Qué falta de religión . . . y qué vergüenza ! ¡Trabajar en domingo!

El obrero, disgustado por la reprimenda, pero cohibido por el agasajo, repuso humildemente:

— ¿ Y qué le vamos á hacer, señor cura? Trabajamos cobrando al entregar las piezas terminadas, ganando tiempo ... el jornal es corto, el pan caro ... y cuando menos se piensa nace un chico. Aquel grandullón rubio — añadió, acercándose á la ventana y extendiendo la mano — tiene cinco; el de al lado, tres; el cojo de enfrente mantiene á sus padres ... y así todos. Créame Vd., señor cura, en tripa vacía y hogar sin lumbre, no hay fiestas de guardar.

Se quedó perplejo D. Cándido, y haciendo al fin un esfuerzo por parecer enojado, contestó:

— Á pesar de eso. ¡ En domingo no se trabaja! ¿Y cuántos sois?

— Doce.

— ¿Cuánto gana cada uno? En junto: ¿cuánto importan los jornales de hoy ?

El cantero sacó la cuenta por los dedos, y repuso: — Ciento quince reales.

D. Cándido se dirigió á su alcoba, abrió un escritorio, sacó de un cajón un bolsillo de seda verde con anillas de acero, tomó de su contenido aquella suma, y se la entregó al maestro con estas palabras:

60

"Even on Sunday!" murmured Don Cándido, sad and surprised: and leaning out of the window he shouted at the nearest worker:

"Hey! Good friend! Tell the boss, foreman whatever he may be, that he should please come up here for a moment."

Moments afterwards the stonecutter master was in the dining room of the priest. The latter treated/entertained him with new/fresh cheese and mature wine; he gave him a cigarette with the thickness of a finger, and straightaway, obliging himself, forcing his real nature, he reproved him with the little and timid asperity that his goodness permitted, saying to him:

"What a lack of religion..... and what shame!...To work on Sunday!"

The workman, upset by the reprimand, but restrained by the cordial-reception, replied humbly:

"And what are we going to do, Señor Priest? We work being paid on handing over the finished pieces, gaining time .... the days-pay is little, the bread is expensive .... and when it is least expected a boy is borne. That big blond lad," he added, drawing near to the window and extending his hand "has five; the one on the side, three; the lame chap in front supports his parents ..... and so for all. Believe me Señor Priest, with an empty belly and a home without a fire, there are no holy days to keep/observe."

Don Cándido became perplexed, and making at last an effort to appear cross, he replied:

"In spite of this. On Sunday one does not work! And how many are you?"

"Twelve."

"How much does each earn? All together: how much do the wages of today amount to?"

The stone-mason worked out the account on his fingers, and replied: "One hundred and fifteen reales."

Don Cándido went to his bedroom, opened a writing desk, took out of a drawer a purse of green silk with rings/clasps of steel, took from its contents that sum, and handed it to the master with these words:

61

— Toma: que rece cada uno un Padre-Nuestro, y marchaos á descansar. ¡No profanéis el día del Señor!

Á los cinco minutos el taller estaba desierto.

Al domingo siguiente, cuando D. Cándido subió á desayunarse, luego de decir misa, oyó, asombrado, el rumor que al trabajar producían los picapedreros, y frunciendo el entrecejo, murmuró: — ¿Hoy también?

La escena que siguió fué igual á la ocurrida ocho días antes. Llamó al maestro, le reprendió más duramente, fué á la alcoba, y dio el dinero para que el taller se despejara. Los trabajadores se marcharon alegres, algunos á sus casas, los más á la taberna; el bolsillo verde quedó vacío, y el cura asomado á la ventana, pasó un rato contemplando aquellas piedras, que según las miraba, debían de tener para él oculto y misterioso encanto.

Durante la semana siguiente, el trabajo cundió tanto que casi quedó limpio el solar. El nuevo arco de la iglesia estaba á punto de terminarse.

Sin embargo, al tercer domingo aun comenzó más temprano el golpeteo seco y metálico de la herramienta sobre la piedra; pero el ruido era mucho más débil: sin duda trabajaba poca gente.

Corrió D. Cándido á la ventana y vio que sólo había un hombre ocupado en labrar y afinar una pieza, con tanta priesa y tal afán, que ni tomaba instante de reposo ni levantaba siquiera la cabeza.

Entonces bajó y acercándose al obrero le preguntó de mal modo:

—¿Porqué trabajas?

— Señor — respondió el cantero — ayer quedó concluido todo: mañana lunes, de madrugada, se hace la entrega: sólo falta esta pieza por culpa mía, porque . . . he estado entre semana dos días enfermo. Y hoy tengo que acabarla, antes de la puesta del sol . . . para cobrar, porque ayer no quisieron pagarme ... ni me pagan hasta que acabe.

"Take it: and each one should say/pray an Our Father, and go to rest. Do not profane the day of the Lord!"

In five minutes the workshop was deserted.

On the following Sunday, when Don Cándido went up to breakfast, after saying mass, he heard. surprised, the noise that the stonecutters produced on working, and knitting his brow, he murmured: "Today as well?"

The scene that followed was equal to the one that occurred eight days before. He called the master, he reprimanded him more severely, went to his bedroom, and gave the money in order that the workshop should be cleared (i.e. of people). The workers went off happy, some to their houses, most to the pub; the green purse remained empty, and the priest leaning out of the window, spent a while contemplating those stones, that from the way he looked at them, must have had for him a hidden and mysterious charm.

During the following week, the work got on so well that the plot remained almost clean. The new arch of the church was at the point of being finished.

However, on the third Sunday the dry and metallic hammering of the tool upon the stone began even earlier; but the noise was much weaker; without doubt few people were working.

Don Cándido ran to the window and saw that there was only one man occupied in working and polishing a piece, with so much haste and such eagerness, that he neither took a moment of rest nor even lifted his head.

Then he went down and approaching the workman he asked him roughly:

"Why are you working?"

"Señor" responded the stone-mason "yesterday everything was/became finished/concluded: tomorrow Monday, early morning, the hand-over is made: only this piece is lacking through my fault, because .... I have been ill two days during the week. And today I have to finish it, before sunset .... in order to be paid, because yesterday they did not want to pay me ... nor do they pay me until it is finished"

Dicho lo cual, bajó la cabeza, inclinó el cuerpo y siguió picando.

— ¿Y si no concluyes hoy?

— El trastorno es lo menos: lo malo es que no cobro, y en casa hace falta.

Se quedó D. Cándido pensativo. Las cuentas que echó y los cálculos que hizo, sólo él podría decirlos: debió de recordar que el bolso verde estaba vacío; acaso se dijo que la verdadera limosna es la que no con dinero, sino con el propio esfuerzo se hace ... Tal vez vinieron á su pensamiento memorias á él solo reservadas ...

Mirando compasivamente al cantero le dijo en voz baja, como confiándole un secreto:

— Mi padre y mis hermanos fueron canteros ... Cuando chico, yo también aprendí el oficio. ¡Yo te ayudaré!

Y recogiéndose las mangas cogió un puntero, empuñó un mazo y empezó á picar la piedra.

This said, he lowered his head, leant (forwards) his body and continued chipping.

"And if you do not finish today?"

"The inconvenience is the least of it: the worst is that I do not get paid, and at home there is necessity (we go without)."

Don Cándido remained thoughtful. The sums that he came up with and the calculations that he made, only he would be able to tell; he must have remembered that the green purse was empty; perhaps he told himself that the true charity is not that which is made with money but rather with one's own efforts .... Perhaps memories came to his thoughts belonging only to him.

Looking compassionately at the stone mason he said to him in a low voice as though confiding in him a secret:

"My father and my brothers were stone masons .... When a boy, I also learned the trade. I will help you!"

And rolling up his sleeves he grasped a chisel, gripped a mallet and began to chip the stone.

6. La Esperanza

La mayor parte de las aguas medicinales son muy antiguas. Brotaron del seno de la tierra en épocas remotas y tienen a su favor sus méritos propios y el prestigio de la tradición.

No así las de Fuente-cálida, que son modernísimas.

Un día se sintió un terremoto en una de las sierras más ásperas de la península; se formaron anchas grietas en el terreno y al cabo de poco tiempo cada grieta era la boca de un manantial.

Y la casualidad, y algún análisis que otro, practicado por médicos o químicos de la región, vinieron a demostrar que los nuevos manantiales eran eficacísimos para enfermedades diversas y principalmente para la tisis.

En efecto, las nuevas aguas hicieron en pocos años curas prodigiosas. De tal suerte, que si hubiéramos vivido en siglos menos descreídos que el nuestro, en vez del nombre que hoy tiene la fuente principal, y que, como queda dicho, es el de, Fuente-cálida, se hubiera llamado Fuente-milagrosa.

Pero la ciencia moderna es grandemente prosaica, y a la substancia milagrosa del manantial, ha sustituído dos cuerpos simples de la química: el ázoe y el azufre, como notas dominantes; sin contar con otras muchas notas armónicas de otros diferentes cuerpos, porque los manantiales de Fuente-cálida parece que son riquísimos en elementos minerales.

Ello es que Fuente-cálida se hizo célebre en pocos años; y la más noble sociedad de tísicos y tuberculosos de la península, y aun del extranjero, acudieron llenos de esperanza a mineralizar sus decadentes y blanduchos organismos.

No en un todo como miembro de esta sociedad elevada, sino como individuo modesto de la burguesía media, acudió también al generoso manantial D. Ángel de Alcocer.

6. The Hope

The greater part of medicinal waters are very ancient. They sprang out of the heart/breast of the earth in remote ages and have in their favour their own merits/worth and the prestige of tradition.

Not so are those of the Hot Spring (Hot Fountain), that are very recent (modern).

One day an earthquake was felt in one of the most rugged mountains of the peninsula; wide crevices were formed in the ground, and after a little time each crevice was the mouth of a spring.

And chance, and some analysis or other, carried out by doctors or chemists of the region, ended up demonstrating that the new springs were very efficacious for various illnesses and especially for consumption.

In effect the new waters performed in a few years prodigious cures. In such a way (lit: of such luck/fate), that if we were to have lived in centuries less unbelieving than ours, in place of the name that today the principal spring/fountain has, and that, as was said, is that of, Hot Fountain, it would have been called Miraculous Spring.

But modern science is greatly prosaic, and for the miraculous substance of the spring, it has substituted two simple elements of chemistry: nitrogen and sulphur, as dominant notes; without counting many other harmonic notes of other different elements, because it seems that the springs of Hot Fountain are very rich in mineral elements.

The fact is that Hot Spring made itself celebrated/famous in a few years; and the most noble society of consumptives and tuberculous sufferers of the peninsula, and even from abroad, came full of hope to mineralize (i.e. treat with mineral water) their declining and flabby organisms.

Not altogether/exactly as a member of this elevated society, but as a modest individual of the middle-class bourgeoisie, Don Ángel de Alcocer also came to the generous spring.

Al pronto nadie fijó la atención en el nuevo bañista o en el nuevo tísico, ni él hizo tampoco nada para que en él se fijasen.

Después, ya le conocía todo el mundo en el establecimiento, no por su nombre, sino por el mote de el Sabio triste.

Si era sabio, en toda la extensión de la palabra, no podemos asegurarlo, aunque después hemos sabido que era un hombre de mérito; pero que era tristón, tímido y retraído, no cabe duda.

Siempre andaba por los rincones, leyendo o meditando. Se mostraba poco comunicativo; no acudía por las noches al salón de conciertos, ni por la tarde paseaba en compañía de otros bañistas.

Casi de continuo iba solo; buscaba los sitios más separados y agrestes; sobre la hierba o sobre las rocas, se sentaba o se tendía y dejaba vagar alrededor su mirada, pálida y distraída.

Hemos dicho que era retraído, pero esto no significa que fuese adusto; su retraimiento más procedía de timidez o de tristeza, que de odio u hostilidad al género humano.

Con los niños y con los animales era comunicativo y cariñoso; tanto, que algunos bañistas no le llamaban el sabio tristón, sino el amigo de los animales.

Digamos, para terminar lo poco que podía decirse de D. Ángel, que era hombre de unos cuarenta años, aunque representaba algunos más; que en su juventud habría sido guapo, y hasta poético, y que en el momento actual, por más que vistiese modestamente, algo daba a entender, en ciertos pormenores de indumentaria, que allá en otro tiempo habría sido un joven elegante y de buena sociedad.

Se murmuró que fue poeta, y aun poeta aplaudido. Actualmente era profesor de física y estaba amenazado de una tuberculosis incipiente, que era la que le había traído a Fuente-cálida.

At first nobody paid attention to the new patient (also: bather) or to the new consumptive, and nor did he do anything in order that they should notice him.

Afterwards indeed everyone (lit: all the world) in the establishment/institution, knew him not by his name, but by the nickname of the sad Wiseman.

If he was a wise-man, in the full meaning of the word, we are unable to be sure of it, although later we have known that he was a man of merit (a worthy man); but that he was melancholy, timid/shy and withdrawn, there is no doubt.

He always walked in secluded places (corners), reading or meditating. He showed himself not to be communicative; he did not come at nights to the concert room, nor in the afternoon did he stroll in the company of other patients.

Almost continuously he went alone; he looked for places more apart and rugged; he sat down or he stretched out upon the grass or upon the rocks, and let his gaze, pale and distracted, wander around.

We have said that he was withdrawn, but this does not mean that he was austere; his reserve proceeded/came more from timidity or from sadness than from hatred or hostility to mankind.

With children and with animals he was communicative/unreserved and affectionate; so much so that some patients did not call him the melancholy wise-man, but the friend of the animals.

We should say, in order to finish the little that was able to be said of Don Ángel, that he was a man of some forty years of age, although he seemed to be somewhat more; that in his youth he would have been handsome, and even poetic, and that at the present time, however much he might dress modestly, something showed, in certain details of dress, that in other times he would have been an elegant young man and of good social standing.

It was murmured that he was a poet, and even an acclaimed poet. At present he was a teacher of physics and was threatened by an incipient/early stage tuberculosis, which was what had brought him to Hot Spring.

Cuando se supo todo esto, que fue todo lo que pudo saberse, ya nadie se ocupó más de don Ángel, y se le abandonó a su tristeza y a su insignificancia.

Ni era molesto, ni era bullanguero, ni era murmurador, ni era gran personaje; por lo tanto, no había para qué ocuparse de él.

Pero cierto día ocurrió una cosa extraordinaria en el establecimiento. El corderillo se había trocado en fiera. Algunos bañistas, al pasear por los alrededores, habían encontrado a don Ángel convertido en un verdadero demonio y en lucha espantosa con un pobre borrico.

Aunque a decir verdad no fue lucha, sino encarnizamiento de un verdugo contra una víctima. El borrico huía, llevando en la boca un manojo de hierba, y le perseguía frenético don Ángel con los ojos inyectados de sangre, la boca con la contracción de la ira, en la mano un bastón, con el que sacudía sobre las redondas ancas del pobre animal, y en la garganta gritos que parecían maldiciones unas veces y otras veces insultos al borriquillo.

Al pronto nadie creía la noticia, que fue, como ahora se dice, el acontecimiento del día y la comidilla de la noche en el salón de conciertos entre señoras y caballeros, que reían a carcajadas por lo grotesco de la escena y por lo inesperado también, y porque, además, la risa ayuda en gran parte a la acción terapéutica de las aguas medicinales.

Era lo imposible, era lo ridículo y fue preciso que D. Tomás, hombre de edad avanzada, formal y verídico, repitiese la historia para que los bañistas la creyesen. Pero ¿por qué, por qué D. Ángel, que era un verdadero ángel de bondad, se había encarnizado de aquel modo; él, el amigo de los animales, contra aquel animal inofensivo?

En el fondo de semejante sainete debía agitarse una tragedia, por lo menos un drama; acaso era en compendio toda la historia de D. Ángel.

When all this was known, which was all that one was able to know, indeed no-one concerned themselves more with Don Ángel, and he was abandoned to his sadness and to his insignificance.

He was not annoying, nor was he noisy, nor was he a gossip, nor was he a great character; accordingly there was no reason to be concerned with him.

But one day an extraordinary thing occurred in the establishment. The little lamb had changed into a wild beast. Some patients on strolling in the surroundings, had found Don Ángel converted into a true demon and in a frightful fight with a poor donkey.

Although to tell the truth it was not a fight, but the rage of an executioner against a victim. The donkey fled, carrying in the mouth a handful of grass, and Don Ángel pursued it frantically with his eyes inflamed with blood (bloodshot), his mouth with the contraction of anger, in his hand a walking-stick, with which he beat upon the rounded haunches of the poor animal, and in his throat shouts that seemed sometimes to be curses, and at other times insults against the little donkey.

At first no-one believed the news, that was, as now one says, the event of the day and the conversation-topic of the evening in the concert room among ladies and gentlemen, who roared with laughter on account of the grotesqueness of the scene and for its being unexpected as well, and because, in addition, laughter aids to a great extent the therapeutic action of the medicinal waters.

It was impossible, it was ridiculous and it was necessary that Don Tomás, who was a man of advanced age, serious and truthful, should repeat the story in order that the patients should believe it. But why, why had Don Ángel, who was a true angel of goodness, become-savage in that way; he, the friend of the animals, towards that inoffensive animal?

At the bottom of a such a farce a tragedy must be stirring, at least a drama; perhaps it was in brief all the history of Don Ángel.

Y, en efecto, la historia de su vida entera venía a reflejarse en aquella lucha desatinada del hombre y del borrico, al cual, dicho sea entre paréntesis, fue D. Ángel; arrepentido y confuso al día siguiente, a dar explicaciones endulzadas con algún terrón de azúcar.

Don Tomás, que tomó empeño en descubrir el secreto de aquella cólera repentina, consiguió, a fuerza de paciencia, hacerse amigo de D. Ángel, y más tarde, cuando ya volvieron a Madrid, le refirió el profesor de Física la historia de su juventud, de sus luchas, de sus esperanzas, de sus desengaños, y, por último, la causa de su enojo contra el borrico, a quien tan desaforadamente apaleó en un momento de locura.

Empecemos por esta escena final, modestísima, ridícula casi; pero que simbolizaba en su tosquedad campesina toda la existencia, o mejor dicho, toda la juventud de D. Ángel.

En el centro de la escena, imagínese el lector una noria de las antiguas, de las de cangilones de barro, que suben llenos de agua y bajan vacíos; como subimos por la vida, llenos de esperanza y bajamos, boca abajo, sin una gota de líquido, secos y desesperados, hasta caer otra vez en el centro de la tierra.

Al engranaje de la noria iba unida, como de costumbre, una palanca, y al extremo de la palanca estaba enjaezado un pobre mulo que daba vueltas sin cesar.

Pero por mulo que fuese alguna inteligencia tenía; la necesaria al menos para comprender que aquellas vueltas podrían aprovechar al hortelano, que utilizaba el agua de la noria en el riego de sus huertas; pero que a él no le aprovechaban ni poco ni mucho y, en cambio, le fatigaban los músculos y le molían los huesos.

El resultado de estas consideraciones era que el mulo se detenía con frecuencia. Y entonces el hortelano, para no tener que estar constantemente apaleando a su caballería, tuvo una idea ingeniosa, aunque, a la verdad, no era nueva, y ni por ella le hubiese concedido privilegio el gobierno.

And in effect, the history of his whole life came to be reflected in in that nonsensical fight of the man and the donkey, of which, it should be said in brackets, Don Ángel, repentant and confused on the next day, was to give explanations sweetened with some lump of sugar.

Don Tomás who took the effort to discover the secret of that sudden anger, managed by dint of patience, to make himself the friend of Don Ángel, and later, when indeed they returned to Madrid, the teacher of physics related to him the history of his youth, of his struggles, of his hopes, of his disappointments, and, at last, the cause of his rage against the donkey, which he beat so outrageously in a moment of madness.

Let us begin with this last scene, very modest, ridiculous almost: but that symbolizes in its rustic roughness all the existence, or better said, all the youth of Don Ángel.

In the centre of the scene, the reader should imagine one of the old-fashioned waterwheels, one of those with earthen jars, that come up full of water and go down empty; as we go up through life, full of hope and we descend, mouth down (downcast), without a drop of liquid, dry and despairing, until falling again into the centre of the earth.

The gearing of the waterwheel went joined, as usual, to a lever. And to the end of the lever was harnessed a poor mule that went around without ceasing.

But although a mule it might be, some intelligence it had; that necessary at least in order to understand that those turns (i.e. around the waterwheel) would be able to benefit the market-gardener, who used the water from the waterwheel in the irrigation of his orchards; but that they did not benefit it (i.e. the mule) either a little or a lot and, on the other hand they tired its muscles and they wore out its bones.

The result of these considerations was that the mule stopped frequently. And then the gardener, in order not to have to be constantly beating his steed (i.e. the mule), had an ingenious idea, although in truth, it was not new, and nor might the government have conceded/granted a patent for it.

Y fue que del eje vertical de la noria, sacó otra palanca o brazo, a cuyo extremo colgó un haz de hierba, de modo que viniera a quedar suspendido delante de la cabeza del macho, pero a cierta distancia. Invención que produjo efectos maravillosos, sobre todo cuando nuestro hombre tomó la precaución de tener a su macho hambriento todo el día.

Porque el animal sentía hambre, veía oscilar a poca distancia la hierba; para alcanzarla, estiraba el cuello y echaba el cuerpo hacia adelante, es decir, que daba vueltas a la noria; pero como al mismo tiempo giraba también la palanca que sostenía la hierba, jamás podía morder en ella.

Esto era lo que presenciaba D. Ángel, sentado en un ribazo y pensando filosóficamente que, en aquella noria pobre, tosca y rechinante; en aquel macho hambriento, y en aquella hierba, verde y jugosa, que el movimiento de rotación balanceaba, se venía a simbolizar toda su vida, con sus tristezas, sus luchas, sus esperanzas, y tanta y tanta crueldad y tanto desengaño, como sufrió el pobre en su casi estéril juventud.

Y al mulo de la noria y al D. Angel del ribazo, es forzoso agregar otro tercer personaje, un borrico, listo y bien mantenido, que andaba en libertad por un prado próximo .

Con lo cual llegamos al punto culminante de la tragicomedia.

El mulo, rendido de fatiga, se detuvo. El manojo de hierba quedó inmóvil, siempre a la misma distancia de la hambrienta boca del animal. Y, aprovechando aquella parada, el borrico del prado se acercó lenta y tranquilamente y empezó a comer los tallos y hojas más desprendidos del haz en los mismos hocicos del fatigado y desesperado mulo, concluyendo por arrancar el haz entero.

Aquí fue donde perdió la paciencia don Ángel. Recuerdos crueles, hondas desesperaciones, muchas lágrimas de dolor, muchos gritos ahogados en largas noches de vigilia, acudieron en tropel a su memoria.

And it was that, from the vertical axle of the waterwheel, came out another lever or arm, to the end of which hung a bundle of grass, in (such) a way that it should remain suspended in front of the head of the mule, but at a certain distance. An invention that produced marvellous effects, above all when our man took the precaution of having his mule hungry all day.

Because the animal felt hungry, it saw the grass swinging at a short distance; in order to reach it, it stretched out its neck and pushed its body forward, that is to say, that it gave turns to the waterwheel; but as at the same time the lever that held up the grass turned also, it was never able to bite onto it.

This is what Don Ángel witnessed, seated on a sloping bank and thinking philosophically that, in that poor waterwheel, rough and creaking; in that hungry mule, and in that grass, green and juicy, that the movement of rotation was swinging, all his life came to be symbolised, with his sorrows, his struggles, his hopes, and so very much cruelty, and so much disappointment, as the poor man suffered in his almost sterile youth.

And to the mule of the waterwheel and to Don Ángel of the sloping bank, it is indispensable to add another third character, a donkey, clever and well maintained/nourished, that moved at liberty through a nearby meadow.

With which we arrive at the high point of the tragi-comedy.

The mule overcome with fatigue, stopped. The handful of grass stayed motionless, always at the same distance from the hungry mouth of the animal. And taking advantage of that halt, the donkey of the meadow approached slowly and calmly and began to eat the most loose stalks and leaves of the bundle in the very face of (lit: snout) of the weary and desperate mule, finishing by snatching the entire bundle.

Here was where Don Ángel lost his patience. Cruel recollections, deep desperations, many tears of sorrow, many cries stifled in long nights of wakefulness, came in a throng to his memory.

La sangre le subió al cerebro, los ojos se le inyectaron, perdió el dominio de sí mismo, no vió lo que le rodeaba, sino otro cuadro bien distinto, porque todo se le transformó.

El círculo de la noria era el círculo en que había girado su existencia, siempre el mismo, siempre seco y estéril; aquel mulo no era un animal cualquiera, era la imagen fiel de D. Ángel, porque D. Ángel no era orgulloso, más bien era humilde y no se sentía humillado al compararse con aquella bestia de trabajo; antes bien se había dicho a sí mismo muchas veces :

"¡Pero qué bestia eres, Ángel!"

Aquel trabajo era como el suyo: penosísimo, siempre estéril para sí, siempre jugoso y destilando riego fecundo para los demás; aquel haz de hierba, tan verde, tan lustrosa, era como el símbolo rustico de sus esperanzas, que también eran verdes, porque es el color propio de toda ilusión que ante nosotros flota y que nunca alcanzamos.

Y aquellas esperanzas tenían un nombre, uno solo: se llamaban Adela, una chica preciosa, de quien estuvo enamorado don Ángel en aquellos tiempos en que se llamaba Angelito, y en que así le llamaba ella con su voz dulcísima.

Por ella trabajó Ángel como un desesperado durante seis o siete años; por ella fue periodista, fue poeta, fue autor dramático, y alentado por aquella esperanza y por aquella mujer, obtuvo algunos triunfos que duraban un día o una noche y que luego se desvanecían en la nada. Roca que rueda al fondo y que él tenía que subir a la cresta constantemente.

Por ella, agotadas sus fuerzas, marchito o fatigado su ingenio, cerrado el horizonte del arte por desengaños, desdichas y malos amigos, se lanzó a la ciencia como hubiera podido lanzarse al fondo de un pozo; y bregando, y bregando, y presentándose a unas y otras oposiciones, al fin obtuvo una cátedra de 12.000 reales.

The blood went up to his head, his eyes became bloodshot, he lost control of himself, he did not see what was around him, but another picture very different, because to him everything changed its appearance.

The circle of the waterwheel was the circle in which he had turned his life/existence, always the same, always dry/barren and sterile; that mule was not any animal whatsoever, it was the faithful image of Don Ángel, because Don Ángel was not proud, rather he was humble and did not feel humiliated on comparing himself with that beast of toil; on the contrary he had said to himself many times:

'But what a brute (what an idiot) you are, Ángel!'.

That work was like his: very painful/laborious, always sterile for himself, always fruitful and imparting fruitful irrigation for others; that bundle of grass, so green, so glossy, was like the rustic symbol of his hopes, that also were green, because it is the proper colour of every dream that floats before us and that we never reach.

And those hopes had a name, one only: they were called Adela, a beautiful girl, with whom Don Ángel was in love in those times in which he was called Angelito, and in which in the same way she would call him with her sweet voice.

For her Ángel worked like a desperate man during six or seven years; for her he was a journalist, he was a poet, he was a playwright, and encouraged by that hope and by that woman, he obtained some triumphs that lasted a day or a night and that then faded into nothing. A rock that rolls to the bottom and that he had to bring up to the top constantly.

For her, his strengths exhausted, faded or weary his ingenuity, the horizon of his skills closed-down by disappointments, misfortunes and bad friends, he threw himself into science as he might have thrown himself to the bottom of a well; and struggling and struggling, and taking (presenting himself for) one competitive exam (i.e. for an appointment) after another, at last he obtained a professorship of 12.000 reales (former Spanish money).

Y llegado a este punto se detuvo jadeante, como se había detenido el mulo de la noria, y ofreció su mano a su adorada Adelita.

Pero ¡ay! que la niña tenía otras aspiraciones más en armonía con su hermosura.

Ello fue que se presentó, de pronto, un nuevo pretendiente; D. Anacleto, hombre de cincuenta años, corpulento, feo, calvo y riquísimo.

Él no había dado nunca vueltas a la noria como Ángel, él vagaba libremente en carretela. Y llegó y venció; y Adela fue suya, ni más ni menos que había sido del borriquillo del prado, el haz de hierba tan penosa y tan estérilmente perseguido por el pobre mulo de la noria.

Por eso, al transformarse el mundo exterior, a los ojos de D. Ángel, también se había transformado el borrico -- con sus largas orejas y sus redondeces de bestia bien mantenida -- en el propio D. Anacleto. Y esta fue la transformación más espontánea y, por lo tanto, menos difícil que tuvo que realizar la sobreexcitada imaginación del antiguo poeta. Y he aquí por qué, sin saber lo que hacía, cediendo a instintivo impulso, saciando antiguos rencores y tomando estrepitosas venganzas, había apaleado al borrico mientras éste huía por el prado llevándose entre los dientes el jugoso manojo de hierba.

En substancia, esto vino a decir D. Angel a D. Tomás cuando llegó el día de las amistosas confidencias, y aun agregó lo que sigue:

— Mire usted, D. Tomás, el lance fue grotesco, lo reconozco; estas visiones mías han sido soberanamente ridículas; pero en el fondo el símbolo campestre no puede ser más exacto. Lo ha sido hasta el fin. Porque yo le quité al borrico el haz de hierba y se la llevé al mulo, y el mulo no la quiso; sin duda la hierba estaba marchita por el sol de todo el día, y mascullada por el borriquillo, y de este modo le repugnaba lo que antes le apetecía.

And arriving at this point he stopped panting, as the mule of the waterwheel had stopped, and offered his hand to his adored Adelita.

But alas! The girl had other aspiration/ambitions more in harmony with her beauty.

The fact was, that a new suitor appeared (presented himself) suddenly; Don Anacleto, a man of fifty years of age, corpulent, ugly, bald and very rich.

He had not ever gone around the waterwheel like Ángel, he wandered freely in a carriage. And he arrived and conquered; and Adela was his, neither more nor less than had been (the property of) the little ass of the meadow, the bundle of grass so painfully and so fruitlessly pursued by the poor mule of the waterwheel.

Accordingly, upon the outside world transforming itself, in the eyes of Don Ángel, also the donkey had transformed itself -- with its long ears and its plumpness of a beast well maintained/nourished -- into the very Don Anacleto. And this was the transformation most spontaneous, and, therefore, least difficult that the overexcited imagination of the old/former poet had to achieve. And here is why, without knowing what he was doing, yielding to an instinctive impulse, satisfying old ill-feelings and taking noisy vengeance, he had beaten the donkey whilst it fled through the meadow carrying between its teeth the succulent handful of grass.

In substance, Don Ángel came to tell this to Don Tomás when the day of friendly confidences arrived, and he even added what follows:

"Look, Don Tomás, the incident was grotesque, I recognise it; these visions of mine have been supremely ridiculous; but ultimately (lit: at bottom) the rustic symbol could not be more exact. It has been until the end. Because I took the bundle of grass away from the donkey and took it to the mule, and the mule did not want it; without doubt the grass was faded by the all-day sun, and chewed by the little donkey, and in this way it was repelled by what before it longed for.

Debía ser un mulo dotado de sentimientos delicadísimos.

Pues bien; esto me pasó a mí.

En los últimos días de mi estancia en Fuente-cálida, llegó Adela, viuda y rica, y, según decían los bañistas, todavía bastante guapa, aunque yo no era de esta opinión.

Doña Adela, que ya no era mi Adelita, se mostró conmigo atenta, cariñosa, y, sin vanagloria, puedo decir, que hasta insinuante estuvo.

Pero yo he sido siempre una pobre bestia del trabajo, más bestia que el mulo de la noria, y, como él, encontraba aquel verdor de mis ansias y de mis esperanzas marchito y mascullado por el borrico en libertad, y que D. Anacleto me perdone la comparación.

En este punto D. Angel, melancólico y resignado, dejó a D. Tomás para irse a su gabinete a seguir estudiando ciertas experiencias sobre atracciones y repulsiones eléctricas.

De todo este drama, tan prosaico, tan grotesco, pero en el fondo tan doloroso, los bañistas de Fuente-cálida no vieron más que la paliza propinada al borrico, y no pueden quejarse, porque en la realidad de la vida, esto es lo que muy pocas veces suele verse.

It must have been a mule gifted with very delicate feelings.

Well then; this happened to me.

In the last days of my stay in Hot Spring, Adela arrived, a widow and rich, and according to what the patients said, still rather beautiful, although I was not of this opinion.

Doña Adela, who was not now my Adelita, appeared very attentive with me, affectionate, and, without boasting, I am able to say, that she was even ingratiating,

But I have always been a poor beast of toil, more beast than the mule of the waterwheel, and like him I found that greenness of my anxieties and of my hopes, faded and chewed by the donkey at liberty, and may Don Anacleto pardon me the comparison."

At this point Don Ángel melancholy and resigned, left Don Tomás in order to go to his office to continue studying certain experiments about electrical attractions and repulsions.

Of all this drama, so prosaic, so grotesque, but at bottom (in the end) so painful, the patients of Hot Spring did not see more than the beating bestowed upon the donkey, and they cannot complain, because in the reality of life, this is what one usually sees very few times.

7. La Corneta De Llaves

Querer es poder.

I

_Don Basilio, ¡toque V. la corneta, y bailaremos! Debajo de estos árboles no hace calor...

--Sí, sí..., D. Basilio: ¡toque Vd. la corneta de llaves!

--¡Traedle a D. Basilio la corneta en que se está enseñando Joaquín!

.--¿La tocará Vd., D. Basilio?

--¡No!

--¿Cómo que no?

--¡Que no!

--¿Por qué?

--Porque no sé..

--¡Que no sabe!...--¡Habrá hipócrita igual!

--Sin duda quiere que le regalemos el oído...

--¡Vamos! ¡Ya sabemos que ha sido Vd. músico mayor de infantería!...

--Y que nadie ha tocado la corneta de llaves como Vd...

--Y que lo oyeron en Palacio...,

--Y que tiene Vd. una pensión....

--¡Vaya, D. Basilio! ¡Apiádese Vd.!

--Pues, señor.... ¡Es verdad! He tocado la corneta de llaves; he sido una... una especialidad, como dicen ustedes ahora...; pero también es cierto que hace dos años regalé mi corneta a un pobre músico licenciado, y que desde entonces no he vuelto... ni a tararear.

--¡Qué lástima!

--¡Otro Rossini!

7. The Cornet/Bugle With Keys

To want is to be able. (Where there's a will there's a way)

I

"Don Basilio, play the cornet and we will dance. It isn't hot beneath these trees."

"Yes, yes..... Don Basilio: play the cornet with keys!"

"Bring Don Basilio the cornet on which Joaquin is teaching himself!"

"Will you play it Don Basilio?"

"No!"

"Why not?"

"No!"

"Why?"

"Because I don't know how."

"He does not know how! Could there (lit: will there) be a hypocrite like him!"

"Without doubt he wants us to flatter him (lit: make a gift to his ear)."

"Come on! We already know that you have been the infantry bandmaster!"

"And that no-one has played the cornet like you..."

"And that they heard it in the Palace...."

"And that you have a pension.."

"Go on, Don Basilio! Have some pity!"

"Well señor...It is true! I have played the cornet with keys, I have been a .... a specialist, as you say now ...; but also it is certain that two years ago I gave my cornet to a poor discharged (i.e. from army) musician, and that since then I have not gone back .... even to humming"

"What a pity!"

"Another Rossini!" (i.e. Because Rossini also produced his most important works in his early career)

--¡Oh! ¡Pues lo que es esta tarde, ha de tocar usted!...
--Aquí, en el campo, todo es permitido....
--¡Recuerde Vd. que es mi día, papá abuelo!...

--¡Viva! ¡Viva! ¡Ya está aquí la corneta!
--Sí, ¡que toque!
--Un vals....
--No..., ¡una polca!...
--¡Polca!... ¡Quita allá! ¡Un fandango!
--Sí..., sí..., ¡fandango! ¡Baile nacional!
--Lo siento mucho, hijos míos; pero no me es posible tocar la corneta.
--¡Usted, tan amable!...
--Tan complaciente...
--¡Se lo suplica a Vd. su nietecito!...
--Y su sobrina....
--¡Dejadme, He dicho que no toco.
--¿Por qué?
--Porque no me acuerdo; y porque además, he jurado no volver a aprender....
--¿A quién se lo ha jurado?
--¡A mí mismo, a un muerto, y a tu pobre madre, hija mía!

Todos los semblantes se entristecieron súbitamente al escuchar estas palabras.
--¡Oh!... ¡Si supierais a qué costa aprendí a tocar la corneta!...--añadió el viejo.
--¡La historia! ¡La historia! exclamaron los jóvenes. --Contadnos esa historia.
--En efecto.... dijo D. Basilio.--Es toda una historia. Escuchadla, y vosotros juzgaréis si puedo, o no puedo, tocar la corneta....
Y sentándose bajo un árbol rodeado de unos curiosos y afables adolescentes, contó la historia de sus lecciones de música.

"Oh! Well as to this afternoon, you have to play!"

"Here in the countryside, everything is allowed..."

"Remember that this is my day (i.e. day of the saint I am named after), grandfather!"

"Hurrah! Hurrah! Here now is the cornet!"

"Yes, play!"

"A waltz..."

"No... a polka!"

"Polka!... No not that! A fandango!"

"Yes...., yes..., fandango! National dance!"

"I am very sorry, my children, but it is not possible for me to play the cornet."

"You, so kind!"

"So obliging."

"Your little grandson begs it of you."

"And your niece..."

"Let me be, I have said that I do not play."

"Why?"

"Because I do not remember how; and because moreover I have sworn not to learn again."

"To whom have you sworn it?"

"To myself, to a dead person, and to your poor mother, my daughter!"

All the faces became sad suddenly on hearing these words.

"Oh! If you were to know at what cost I learned to play the cornet!" added the old man.

"The story! The story!" exclaimed the young persons, "Tell us this story."

"Indeed" said Don Basilio "It is quite a story. Listen to it, and you will judge if I can, or if I cannot, play the cornet."

And seating himself beneath a tree surrounded by some curious and affable adolescents, he related the story of his music lessons.

No de otro modo, Mazzepa, el héroe de Byron, contó una noche a Carlos XII, debajo de otro árbol, la terrible historia de sus lecciones de equitación.

Oigamos a D. Basilio.

II

-Hace diez y siete años que ardía en España la guerra civil. Carlos e Isabel se disputaban la corona, y los españoles, divididos en dos bandos, derramaban su sangre en lucha fratricida.

Tenía yo un amigo, llamado Ramón Gámez, teniente de cazadores de mi mismo batallón, el hombre más cabal que he conocido. Nos habíamos educado juntos; juntos salimos del colegio; juntos peleamos mil veces, y juntos deseábamos morir por la libertad. ¡Oh! ¡Estoy por decir que él era más liberal que yo y que todo el ejército!...

Pero he aquí que cierta injusticia cometida por nuestro Jefe en daño de Ramón -- uno de esos abusos de autoridad que disgustan de la más honrosa carrera; una arbitrariedad, en fin -- hizo desear al teniente de cazadores abandonar las filas de sus hermanos, al amigo dejar al amigo, al liberal pasarse a la facción, al subordinado matar a su Teniente Coronel.... ¡Buenos humos tenía Ramón para aguantar insultos e injusticias ni al lucero del alba!

Ni mis amenazas, ni mis ruegos, bastaron a disuadirle de su propósito. ¡Era cosa resuelta! ¡Cambiaría el morrión por la boina, odiando como odiaba mortalmente a los facciosos!

A la sazón nos hallábamos en el Principado, a tres leguas del enemigo.

Era la noche en que Ramón debía desertar, noche lluviosa y fría, melancólica y triste, víspera de una batalla.

A eso de las doce entró Ramón en mi alojamiento.

In no other way, Byron's hero Mazzepa (a Polish hero about whom Byron wrote a poem of the same name), related one night to Carlos XII, under another tree, the terrible history of his lessons in horse-riding.

Let us listen to Don Basilio.

II

'It was seventeen years ago that the civil war raged (lit: burned) in Spain. Carlos and Isabel were disputing the crown, and the Spanish, divided in two factions, shed their blood in a fratricidal fight.

I had a friend, called Ramón Gámez, lieutenant of light-cavalry in the same battalion as me, the most perfect man I have known. We had been educated together; together we left the college; together we fought a thousand times, and together we desired to die for freedom. Oh! I am about to say that he was more liberal than me and all the army!

But behold a certain injustice committed by our Chief/Commander to the detriment of Ramón -- one of those abuses of authority that upset the most honourable career; an arbitrary-act, in short -- made the lieutenant of light-cavalry desire to abandon the ranks of his brothers, the friend to leave friend, the liberal to go over to the faction (i.e. the rebels) the subordinate/subaltern to kill his Lieutenant Colonel..... A good temperament had Rámon to endure insults and injustices even from the star of dawn! (i.e. even from the finest!).

Neither my threats, nor my entreaties, were enough to dissuade him from his intention. It was a settled thing! He would change the helmet (i.e. of the loyalist side) for the beret (i.e. of the rebel Carlist faction), hating though he hated mortally the rebels!

At that time/period we found ourselves in the principality (i.e. of Asturias), at three leagues from the enemy.

It was the night in which Rámon ought to desert; a rainy and cold night, melancholy and sad, the evening before a battle.

At about twelve o'clock Rámon entered my lodgings/billet.

Yo dormía.

--Basilio....--murmuró a mi oído.

--¿Quién es?

--Soy yo.--¡Adiós!

--¿Te vas ya?

--Sí; adiós.

Y me cogió una mano.

--Oye, continuó, --si mañana hay, como se cree, una batalla, y nos encontramos en ella....

--Ya lo sé: somos amigos.

--Bien; nos damos un abrazo, y nos batimos en seguida.

--¡Yo moriré mañana regularmente, pues pienso atropellar por todo hasta que mate al Teniente Coronel! En cuanto a ti, Basilio, no te expongas... ¡La gloria es humo!

--¿Y la vida?

--Dices bien: hazte comandante, exclamó Ramón --.La paga no es humo..., sino después que uno se la ha fumado.... ¡Ay! ¡Todo eso acabó para mí!

--¡Qué tristes ideas, dije yo no sin susto. --Mañana sobreviviremos los dos a la batalla.

--Pues emplacémonos para después de ella...

--¿Dónde?

--En la ermita de San Nicolás, a la una de la noche.--El que no asista, será porque haya muerto.--¿Quedamos conformes?

--Conformes.

--Entonces.... ¡Adiós!...

--Adiós.

Así dijimos; y después de abrazarnos tiernamente, Ramón desapareció en las sombras nocturnas.

I was sleeping.

"Basilio" he murmured in my ear.

"Who is it?"

"It is I. Goodbye!"

"You are going now?"

"Yes, goodbye!"

And a hand grasped me.

"Listen," he continued, "if tomorrow there is, as is believed, a battle, and we find ourselves in it..."

"Indeed I know; we are friends."

"We give each other a hug, and we fight each other afterwards.

"I will die tomorrow probably, but I think of rushing thorough all until I kill the Lieutenant Colonel! With regard to you, Basilio, do not expose yourself (i.e. to risk) ..... Glory/fame is smoke!"

"And life?"

"You say well: make yourself commander/major," exclaimed Ramon "The pay is not smoke...unless afterwards one has smoked it...Ah! All this has finished for me!"

"What sad ideas!" I said, not without fright. "Tomorrow the two of us will survive the battle."

"Well let us have an appointment for after it."

"Where?"

"In the hermitage of Saint Nicholas, at one o'clock at night. He who does not attend, it will be because he may have died. Are we in agreement?"

"In agreement."

"Then ...goodbye!"

"Goodbye."

So we spoke, and after we embracing one another tenderly, Ramón disappeared in the shadows of the night.

III

Como esperábamos, los facciosos nos atacaron al siguiente día. La acción fué muy sangrienta, y duró desde las tres de la tarde hasta el anochecer.

A cosa de las cinco, mi batallón fué rudamente acometido por una fuerza de alaveses que mandaba Ramón.

¡Ramón llevaba ya las insignias de Comandante y la boina blanca de carlista!

Yo mandé hacer fuego contra Ramón, y Ramón contra mí: es decir, que su gente y mi batallón lucharon cuerpo a cuerpo.

Nosotros quedamos vencedores, y Ramón tuvo que huir con los muy mermados restos de sus alaveses; pero no sin que antes hubiera dado muerte por sí mismo, de un pistoletazo, al que la víspera era su Teniente Coronel; el cual en vano procuró defenderse de aquella furia.

A las seis la acción se nos volvió desfavorable, y parte de mi pobre compañía y yo fuimos cortados y obligados a rendirnos.

Me condujéron, pues, prisionero, a la pequeña villa de..., ocupada por los carlistas desde los comienzos de aquella campaña, y donde era de suponer que me fusilarían inmediatamente....

La guerra era entonces sin cuartel.

IV

Sonó la una de la noche de tan aciago día: ¡la hora de mi cita con Ramón!

Yo estaba encerrado en un calabozo de la cárcel pública de dicho pueblo.

Pregunté por mi amigo, y me contestaron:

--¡Es un valiente! Ha matado a un Teniente Coronel. Pero habrá perecido en la última hora de la acción.

--¡Cómo! ¿Por qué lo decís?

--Porque no ha vuelto del campo; ni la gente que ha estado hoy a sus órdenes da razón de él.

90

III

As we were expecting, the rebel faction attacked us on the following day. The action was very bloody, and lasted from three in afternoon until nightfall.

At about five o'clock, my battalion was roughly attacked/set upon by a force of Alveses (inhabitants of Alava in the Asturias), that Ramón was commanding.

Ramón was wearing now the insignias of a Commander/Major, and the white beret of a Carlist!

I gave the order to fire against Ramón, and Ramón against me: that is to say, that his people and my battalion fought hand to hand (lit: body to body).

We became the victors, and Ramón had to flee with the very diminished remainder of his Alaveses; but not before he had killed, by himself, with a pistol shot, the person who the evening before was his Lieutenant Colonel; who in vain tried to defend himself against that fury.

At six o'clock the action turned unfavourably against us, and part of my poor company and I were cut off, and obliged to surrender ourselves.

They conducted me then, prisoner, to the small town of......, occupied by the Carlists since the beginnings of that campaign, and where it was to be supposed that they would shoot me immediately.

The war was then without quarter!

IV

It struck one o'clock at night of that so ill-fated day: the hour of my appointment with Ramón!

I was shut up in a cell of the public prison of the said town.

I asked about my friend, and they answered me:

"He is a brave man! He has killed a Lieutenant Colonel. But he will have perished in the last hour of the action."

"How! Why do you say that?

"Because he has not returned from the field; not even the people, who have been today under his orders, have information about him."

¡Ah! ¡Cuánto sufrí aquella noche!

Una esperanza me quedaba. Que Ramón me estuviese aguardando en la ermita de San Nicolás, y que por este motivo no hubiese vuelto al campamento faccioso.

--¡Cuál será su pena al ver que no asisto a la cita! Pensaba yo. --¡Me creerá muerto! ¿Y, por ventura, tan lejos estoy de mi última hora? ¡Los facciosos fusilan ahora siempre a los prisioneros; ni más ni menos que nosotros!

Así amaneció el día siguiente.

Un capellán entró en mi prisión.

Todos mis compañeros dormían.

--¡La muerte!, -exclamé al ver al Sacerdote.

--Sí, -respondió éste con dulzura.

--¡Ya!

--No: dentro de tres horas.

Un minuto después habían despertado mis compañeros.

Mil gritos, mil sollozos, mil blasfemias llenaron los ámbitos de la prisión.

V

-Todo hombre que va a morir suele aferrarse a una idea cualquiera y no abandonarla más.

Pesadilla, fiebre o locura, esto me sucedió a mí. La idea de Ramón; de Ramón vivo, de Ramón muerto, de Ramón en el cielo, de Ramón en la ermita, se apoderó de mi cerebro de tal modo, que no pensé en otra cosa durante aquellas horas de agonía.

Me quitáron el uniforme de Capitán, y me pusieron una gorra y un capote viejo de soldado.

Así marché a la muerte con mis diez y nueve compañeros de desventura.

Sólo uno había sido indultado, ¡por la circunstancia de ser músico! Los carlistas perdonaban entonces la vida a los músicos, a causa de tener gran falta de ellos en sus batallones.

--Y ¿era Vd. músico, D. Basilio?--¿Se salvó Vd. por eso?-- preguntaron todos los jóvenes a una voz.

Ah! How I suffered that night!

One hope remained with me. That Ramón might be waiting in the hermitage of Saint Nicholas, and that for this reason he had not returned to the rebel camp.

"What will be his grief/pain on seeing that I do not attend the appointment," I thought. "He will believe me dead! And, by chance, am I so far from my last hour? The rebel faction now always shoots the prisoners, neither more nor less than we (do)!"

So the following day dawned.

A chaplain entered into my prison cell.

All my companions were sleeping.

"Death!" I exclaimed on seeing the priest.

"Yes." replied the latter with sweetness/gentleness.

"Now!"

"No: within three hours."

A minute later my companions had awakened.

A thousand cries, a thousand sobs, a thousand blasphemies filled the limits of the prison.

V

Every man who is going to die is likely to (usually) cling to some idea and not to abandon it.

Nightmare, fever or madness, this happened to me. The idea of Ramón; of Ramón alive, of Ramón dead, of Ramón in heaven, of Ramón in the hermitage, took possession of my brain in such a way, that I did not think of any other thing during those hours of agony.

They took away from me my Captain's uniform, and they put on me a cap and a soldier's old cape/cloak.

So I marched to death with my nineteen companions of misfortune.

Only one had been exempted/reprieved, for the fact/circumstance of his being a musician! The Carlists reprieved then the life of musicians, on account of having a great lack of them in their battalions.'

"And were you a musician, Don Basilio? Did you save yourself by that?" asked all the young people with one voice.

--No, hijos míos.... respondió el veteran, ¡Yo no era músico!

Se formó el cuadro, y nos colocaron en medio de él.

Yo hacía el número once, es decir, yo moriría el undécimo.

Entonces pensé en mi mujer y en mi hija, ¡en ti y en tu madre, hija mía!

Empezaron los tiros.

¡Aquellas detonaciones me enloquecían!

Como tenía vendados los ojos, no veía caer a mis compañeros.

Quise contar las descargas para saber, un momento antes de morir, que se acababa mi existencia en este mundo.

Pero a la tercera o cuarta detonación perdí la cuenta.

¡Oh! ¡Aquellos tiros tronarán eternamente en mi corazón y en mi cerebro, como tronaban aquel día!

Ya los sentía reventar dentro de mi cabeza.

¡Y las detonaciones seguían!

--¡Ahora!--pensaba yo.

Y crujía la descarga, y yo estaba vivo.

--¡Esta es!... me dije por último.

Y sentí que me cogían por los hombros, y me sacudían, y me daban voces en los oídos....

Caí... No pensé más... Pero sentía algo como un profundo sueño... Y soñé que había muerto fusilado.

VI

Luego soñé que estaba tendido en una camilla, en mi prisión.

No veía.

Me llevé la mano a los ojos como para quitarme una venda, y me toqué los ojos abiertos, dilatados.... ¿Me había quedado ciego?

'No, my children..." replied the veteran/old-soldier, "I was not a musician!

The square was formed, and they put us in the middle of it.

I made number eleven, that is to say, I would die the eleventh.

Then I thought of my wife and of my daughter, of you and of your mother, my daughter.

The shots started.

Those explosions drove me crazy!

As I had my eyes blindfolded, I did not see my companions fall.

I wanted to count the discharges in order to know, a moment before dying, that my existence in this world was finishing.

But at the third or fourth detonation I lost count.

Oh! Those shots will thunder eternally in my heart and in my brain, as they thundered that day!

Indeed I felt them burst within my head.

And the detonations continued!

"Now!" I was thinking!

And the discharge cracked, and I was alive.

"This is it!" I told myself finally.

And I felt that they grasped me by the shoulders, and they shook me, and they shouted in my ears...

I fell...I did not think more...But I felt something like a deep sleep...And I dreamt that I had died shot (by firing squad).

VI

Then I dreamt that I was laid out on a stretcher in my prison.

I could not see.

I lifted my hand to my eyes as though in order to remove a bandage, and I touched my open eyes, dilated...Had I become blind?

No. Era que la prisión se hallaba llena de tinieblas.

Oí un doble de campanas..., y temblé.

Era el toque de Animas.

--Son las nueve.... pensé. --Pero ¿de qué día?

Una sombra más obscura que el tenebroso aire de la prisión se inclinó sobre mí.

Parecía un hombre...

¿Y los demás? ¿Y los otros diez y ocho? ¡Todos habían muerto fusilados! ¿Y yo? Yo vivía, o deliraba dentro del sepulcro.

Mis labios murmuraron maquinalmente un nombre, el nombre de siempre, mi pesadilla....

«¡Ramón!»

--¿Qué quieres?--me respondió la sombra que había a mi lado.

Me estremecí.

--¡Dios mío! exclamé.--¿Estoy en el otro mundo?

--¡No!--dijo la misma voz.

--Ramón, ¿vives?

--Sí.

--¿Y yo?

--También.

--¿Dónde estoy? ¿Es ésta la ermita de San Nicolás? ¿No me hallo prisionero? ¿Lo he soñado todo?

--No, Basilio; no has soñado nada. Escucha.

VII

-Como sabrás, ayer maté al Teniente Coronel en buena lid. ¡Estoy vengado! Después, loco de furor, seguí matando..., y maté... hasta después de anochecido..., hasta que no había un Cristino en el campo de batalla.

Cuando salió la luna, me acordé de ti. Entonces enderecé mis pasos a la ermita de San Nicolás con intención de esperarte.

No. It was that the prison found itself full of darkness.

I heard a tolling of bells ...., and I trembled.

It was the ringing of the 'Souls' (an evening ringing of bells to remind the faithful to pray for the dead).

'It is nine o'clock'...I thought.. 'But of what day?'

A shadow darker than the shadowy air of the prison bent over me.

It appeared to be a man.

And the others? And the other eighteen? All had died shot (by firing squad)! And I? I lived, or I was delirious within the sepulchre/grave.

My lips murmured mechanically a name, the name as ever, my nightmare...

"Ramón!"

"What do you want?" the shadow that there was at my side answered me.

I shuddered.

"My God" I exclaimed. "Am I in the other world?"

"No!" said the same voice.

"Ramon, you live?"

"Yes"

"And I?"

"As well."

"Where am I? Is this the hermitage of Saint Nicholas? Do I not find myself a prisoner? Have I dreamed it all?"

"No, Basilio, you have not dreamed anything. Listen."

VII

"As you will know, yesterday I killed the Lieutenant Colonel in a good fight. I am avenged! Afterwards, mad with fury, I continued killing... and I killed .... until after nightfall.... until there was not a Cristino in the field of battle. (Cristino = someone on the side of Queen Isabella during the regency of her mother Maria Cristina)

When the moon came out, I remembered you. Then I directed my steps to the hermitage of Saint Nicholas with the intention of waiting for you.

Serían las diez de la noche. La cita era a la una, y la noche antes no había yo pegado los ojos. Me dormí, pues, profundamente.

Al dar la una, lancé un grito y desperté. Soñaba que habías muerto. Miré a mi alrededor, y me encontré solo. ¿Qué había sido de ti? Dieron las dos..., las tres..., las cuatro... ¡Qué noche de angustia! Tú no aparecías. ¡Sin duda habías muerto!

Amaneció.

Entonces dejé la ermita, y me dirigí a este pueblo en busca de los facciosos. Llegué al salir el sol.

Todos creían que yo había perecido la tarde antes.

Así fué que, al verme, me abrazaron, y el General me colmó de distinciones.

En seguida supe que iban a ser fusilados veinte prisioneros. Un presentimiento se levantó en mi alma. ¿Será Basilio uno de ellos?, me dije.

Corrí, pues, hacia el lugar de la ejecución. El cuadro estaba formado. Oí unos tiros. Habían empezado a fusilar. Tendí la vista...; pero no veía...

Me cegaba el dolor; me desvanecía el miedo. Al fin te distingo. ¡Ibas a morir fusilado! Faltaban dos víctimas para llegar a ti. ¿Qué hacer? Me volví loco; dí un grito; te cogí entre mis brazos, y, con una voz ronca, desgarradora, tremebunda, exclamé:

--¡Éste no! ¡Éste no, mi General!

El General, que mandaba el cuadro, y que tanto me conocía por mi comportamiento de la víspera, me preguntó:

--Pues qué, ¿es músico?

Aquella palabra fué para mí, lo que sería para un Viejo, ciego de nacimiento, ver de pronto el sol en toda su refulgencia.

La luz de la esperanza brilló a mis ojos tan súbitamente, que los cegó.

--¡Músico (exclamé); sí..., sí..., mi General! ¡Es músico! ¡Un gran músico!

It would be ten o'clock at night. The appointment was for one o'clock, and the night before I had not closed my eyes. So I slept deeply.

On one o'clock striking, I uttered a cry and awakened. I was dreaming that you had died. I looked around me, and I found myself alone. What had become of you? It struck two...three...four.... What a night of anguish! You did not appear. Without doubt you had died.

Dawn broke.

Then I left the hermitage, and I headed for this town in search of the rebels. I arrived on the sun coming out.

All believed that I had perished the afternoon before.

So it was that, on seeing me, they embraced me, and the General showered me with distinctions/honours.

At once I knew that twenty prisoners were going to be shot. A presentiment/apprehension arose in my soul. Will Don Basilio be one of those? I said to myself.

I ran, then, towards the place of the execution. The square was formed. I heard some shots. They had begun to shoot. I stretched my sight/eyes..... but I did not see.

Grief blinded me; fear made me faint. At last I make you out. You were going to die shot (by firing squad). Two victims were needed before arriving at you. What to do? I became crazy; I gave a shout, I grasped you in my arms, and, with a voice hoarse, heart-rending, dreadful, I exclaimed:

"This one no! This one no, General!"

The General, who commanded the square, and who knew me so well for my conduct of the day before, asked me"

"What, is he a musician?"

That word was for me what would it be for an old person, blind from birth, to see suddenly the sun in all its brilliance/splendour.

The light of hope shone in my eyes so suddenly that it blinded them.

"Musician" I exclaimed, "Yes, yes... General! He is a musician! A great musician!"

Tú, entretanto, yacías sin conocimiento.

--¿Qué instrumento toca?, -preguntó el General.

--El... la... el... el...; ¡si!... ¡justo!..., eso es..., ¡la corneta de llaves!

--¿Hace falta un corneta de llaves?--preguntó el General, volviéndose a la banda de música.

Cinco segundos, cinco siglos, tardó la contestación.

--Sí, mi General; hace falta, -respondió el Músico mayor.

--Pues sacad a ese hombre de las filas, y que siga la ejecución al momento, -exclamó el jefe carlista.

Entonces te cogí en mis brazos y te conduje a este calabozo.

VIII

-No bien dejó de hablar Ramón, cuando me levanté y le dije, con lágrimas, con risa, abrazándolo, trémulo, yo no sé cómo:

--¡Te debo la vida!

--¡No tanto!--respondió Ramón.

--¿Cómo es eso?--exclamé.

--¿Sabes tocar la corneta?

--No.

--Pues no me debes la vida, sino que he comprometido la mía sin salvar la tuya.

Me quedé frío como una piedra.

--¿Y música? preguntó Ramón ¿Sabes?

--Poca, muy poca....--Ya recordarás la que nos enseñaron en el colegio.

--¡Poco es, o, mejor dicho, nada! ¡Morirás sin remedio! ¡Y yo también, por traidor..., por falsario! ¡Figúrate tú, que dentro de quince días estará organizada la banda de música a que has de pertenecer!

--¡Quince días!

--¡Ni más ni menos! Y como no tocarás la corneta, --porque Dios no hará un milagro -- nos fusilarán a los dos sin remedio.

You meanwhile, lay unconscious.

"What instrument does he play? asked the General.

"The... the... the.... the.. Yes! exactly!.... that is... the cornet with keys.".

"Is there a need for a cornet player?" asked the General, turning to the music band.

Five seconds, five centuries, the reply delayed.

"Yes, General; there is a need." replied the band master.

"Well take this man from the row, and continue the executions at once." exclaimed the Carlist commander.

Then I took you in my arms and I brought you to this prison-cell.'

VIII

No sooner did Ramón cease talking, when I stood up and I told him, with tears, with laughter, embracing him, trembling, I do not know how:

"I owe you my life!"

"Not at all!" replied Ramón.

"How is that?" I exclaimed.

"Do you know how to play the cornet?"

"No."

"Well you do not owe me your life, but rather I have compromised/jeopardized mine without saving yours."

I became cold like a stone.

"And music?" asked Ramón "do you understand it?"

"Little, very little. Indeed you will remember that which they taught us in the college."

"Little it is, or rather (better said), nothing! You will die without fail. And I also, as a traitor......, as a liar! Just imagine, that within fifteen days the band of music to which you have to belong, will be organized!"

"Fifteen days!"

"Neither more nor less! And as you will not play the cornet, -- because God will not perform/make a miracle -- they will shoot us both without fail."

--¡Fusilarte! exclamé. --¡A ti! ¡Por mí! ¡Por mí, que te debo la vida! ¡Ah, no, no querrá el cielo! Dentro de quince días sabré música y tocaré la corneta de llaves.

Ramón se echó a reír.

IX

_--¿Qué más queréis que os diga, hijos míos?

En quince días... ¡oh poder de la voluntad! En quince días con sus quince noches -- pues no dormí ni reposé un momento en medio mes -- ¡en quince días aprendí a tocar la corneta!

¡Qué días aquellos!

Ramón y yo nos salíamos al campo, y pasábamos horas y horas con cierto músico que diariamente venía de un lugar próximo a darme lección.

_¡Escapar! Leo en vuestros ojos esta palabra. ¡Ay! Nada más imposible! Yo era prisionero, y me vigilaban. Y Ramón no quería escapar sin mí.

Y yo no hablaba, yo no pensaba, yo no comía.

Estaba loco, y mi monomanía era la música, la corneta, la endemoniada corneta de llaves.

¡Quería aprender, y aprendí!

Y, si hubiera sido mudo, habría hablado.... Y, paralítico, hubiera andado.... Y, ciego, hubiera visto. ¡Porque quería!

¡Oh! ¡La voluntad suple por todo!—Querer es poder.

Quería: ¡he aquí la gran palabra!

Quería..., y lo conseguí.--¡Niños, aprended esta gran verdad!

Salvé, pues, mi vida y la de Ramón. Pero me volví loco. Y, loco, mi locura fué el arte. En tres años no solté la corneta de la mano.

Do-re-mi-fa-sol-la-si; he aquí mi mundo durante todo aquel tiempo.

"To shoot you!" I exclaimed, "You! For me! For me who owe you my life! Ah, no, Heaven will not wish it! Within fifteen days I will understand music and I will play the cornet."

Ramón started to laugh.

IX

"What more will you want me to tell you, my children?

In fifteen days...oh the power of the will! In fifteen days with its fifteen nights -- for I did not sleep or rest a moment in half a month -- in fifteen days I learned to play the cornet!

What days!

Ramón and I would go out to the countryside, and we would pass hours and hours with a certain musician who daily came from a nearby place to give me a lesson.

To escape! I read in your eyes this word. Ah! Nothing more impossible! I was a prisoner, and they watched me. And Ramón did not want to escape without me.

And I was not speaking, I was not thinking, I was not eating.

I was crazy, and my monomania was the music, the cornet, the fiendish cornet with keys.

I wanted to learn, and I learned.

And if I had been mute, I would have spoken,... And paralytic, I should have walked...and blind, I would have seen. Because I wanted!

Oh! The will supplies/provides everything! .... To want is to be able.

I wanted: behold the great word!

I wanted and I achieved it. Children, learn this great truth!

I saved, then, my life and that of Ramón. But I became mad. And mad, my madness was the art. In three years I did not let the cornet go out of my hand.

Do-re-mi-fa-sol-la-si; behold my world during all that time.

Mi vida se reducía a soplar. Ramón no me abandonaba. Emigré a Francia, y en Francia seguí tocando la corneta. ¡La corneta era yo! ¡Yo cantaba con la corneta en la boca!

Los hombres, los pueblos, las notabilidades del arte se agrupaban para oírme....

Aquello era un pasmo, una maravilla....

La corneta se doblegaba entre mis dedos; se hacía elástica, gemía, lloraba, gritaba, rugía; imitaba al ave, a la fiera, al sollozo humano. Mi pulmón era de hierro.

Así viví otros dos años más. Al cabo de ellos falleció mi amigo. Mirando su cadáver, recobré la razón. Y cuando, ya en mi juicio, cogí un día la corneta... -- ¡qué asombro! -- me encontré con que no sabía tocarla.

¿Me pediréis ahora que os haga son para bailar?

My life was reduced to blowing. Ramón did not abandon me. I emigrated to France, and in France I continued playing the cornet. The cornet was me! I sang with the cornet in my mouth!

The men, the people, those eminent in the art assembled in order to hear me......

That was a wonder, a marvel.....

The cornet would yield itself between my fingers, it made itself elastic, it moaned, it wept, it cried, it roared, it imitated a bird, a wild-beast, a human sob. My lung was iron.

So I lived another two years more. At the end of them my friend died. Looking at his body, I recovered my reason. And when, now in my senses, one day I seized the cornet -- what astonishment! -- ...I found out that I did not know how to play it.

Will you ask me now to make you music (sound) for dancing?'

8. Dos Sabios.

En el balneario de Aguachirle, situado en lo más frondoso de una región de España muy fértil y pintoresca, todos están contentos, todos se estiman, todos se entienden, menos dos ancianos venerables, que desprecian al miserable vulgo de los huéspedes y mutuamente se aborrecen.

¿Quiénes son? Poco se sabe de ellos en la casa. Es el primer año que vienen. No hay noticias de su procedencia. No son de la provincia, de seguro; pero no se sabe si el uno viene del Norte y el otro del Sur, o viceversa, ,... o de cualquier otra parte.

Consta que uno dice llamarse D. Pedro Pérez y el otro D. Álvaro Álvarez. Ambos reciben el correo en un abultadísimo paquete, que contiene multitud de cartas, periódicos, revistas, y libros muchas veces. La gente opina que son un par de sabios.

Pero ¿qué es lo que saben? Nadie lo sabe. Y lo que es ellos, no lo dicen. Los dos son muy corteses, pero muy fríos con todo el mundo e impenetrables. Al principio se les dejó aislarse; el vulgo alegre desdeñó el desdén de aquellos misteriosos pozos de ciencia, que, en definitiva, debían de ser un par de chiflados caprichosos, exigentes en el trato doméstico y con berrinches endiablados, bajo aquella capa superficial de fría buena crianza. Pero, a los pocos días, la conducta de aquellos señores fue la comidilla de los desocupados huéspedes, que vieron una graciosísima comedia en la antipatía y rivalidad de los viejos.

Con gran disimulo, porque inspiraban respeto y nadie osaría reírse de ellos en sus barbas, se les observaba; y se saboreaban y comentaban las vicisitudes de la mutua ojeriza, que se exacerbaba por las coincidencias de sus gustos y manías, que les hacían buscar lo mismo y huir de lo mismo.

Pérez había llegado a Aguachirle algunos días antes que Álvarez.

8. Two Scholars/Learned Men

In the health resort of Aguachirle, situated in the leafiest part of a very fertile and picturesque region of Spain, all are happy, all respect one another, all understand one another, except two venerable old men, who despise the wretched crowd of the guests and mutually loathe each other.

Who are they? Little is known of them in the house. It is the first year that they come. There is no information as to their background. They are not from the province, for certain; but it is not known if one comes from the north and the other from the south, or vice versa, ... or from whatever other place.

It is certain that one is said to call himself Don Pedro Perez and the other Don Álvaro Álvarez. Both frequently receive post in a very bulky packet, that contains a multitude of letters, newspapers, magazines and books. People hold the opinion that they are a pair of scholars.

But what is it that they know? Nobody knows. And as for them, they do not say. The two are very polite, but very cold with everyone (lit: all the world) and inscrutable. At first they were left to keep themselves apart; the happy ordinary-people disdained the contempt of those mysterious deeply learned persons (lit: wells of science) who, ultimately, must have been a pair of capricious crackpots, exacting in domestic affairs and with diabolical tantrums, beneath that superficial cloak of cold good breeding. But, after a few days, the conduct of those gentlemen was the favourite conversation-topic of the unoccupied guests, who saw an amusing comedy in the antipathy and rivalry of the old-men.

With great dissimulation, because they inspired respect and nobody would dare to laugh at them in their face (lit: in their beards), they were observed; and the variations in the mutual ill-will, that were exacerbated by the coincidences of their tastes and oddities, that made them look for the same and escape from the same things, were savoured and commented upon.

Pérez had arrived at Aguachirle some days before Álvarez.

Se quejaba de todo; del cuarto que le habían dado, del lugar que ocupaba en la mesa redonda, del amo del hotel, del pianista, de la camarera, del mozo que limpiaba las botas, de la campana de la capilla, del cocinero, y de los gallos y los perros de la vecindad, que no le dejaban dormir.

De los huéspedes no se atrevía a quejarse, pero eran la mayor molestia.

«¡Triste y enojoso rebaño humano! Viejos verdes, niñas cursis, mamás grotescas, canónigos egoístas, pollos empalagosos, indianos soeces y avaros, caballeros sospechosos, maníacos insufribles, enfermos repugnantes; ¡peste de clase media!

¡Y pensar que era la menos mala! Porque el pueblo... ¡Uf! ¡El pueblo! ¡Y la ignorancia general! ¡Qué martirio tener que oír, a la mesa, sin querer, tantos disparates, tantas vulgaridades, que le llenaban el alma de hastío y de tristeza!».

Algunos entrometidos, que nunca faltan en los hoteles, trataron de sonsacar a Pérez sus ideas, sus gustos; de hacerle hablar, de intimar en el trato, de obligarle a participar de los juegos comunes; hasta hubo un tonto que le propuso bailar un rigodón con cierta dueña...

Pérez tenía un arte especial para sacudirse estas moscas. A los discretos los tenía lejos de sí a las pocas palabras; a los indiscretos, con más trabajo y alguna frialdad inevitable; pero no tardaba mucho en verse libre de todos.

Además, aquella triste humanidad le estorbaba en la lucha por las comodidades; por las pocas comodidades que ofrecía el establecimiento. Otros tenían las mejores habitaciones, los mejores puestos en la mesa; otros ocupaban antes que él los mejores aparatos; y otros, en fin, se comían las mejores tajadas.

He complained about everything; about the room that they had given him, about the place that he occupied/had on the round table, about the owner of the hotel, about the pianist, about the maid, about the youth who cleaned the boots, about the bell of the chapel, about the cook, and about the cockerels and the dogs in the vicinity, that would not let him sleep.

About the guests, he did not dare to complain, but they were the main annoyance.

'A sad and vexatious human flock! Green (i.e. childish/vulgar) old men, pretentious little girls, grotesque mothers, egoistic canons, mawkish youths (lit: chickens), coarse and miserly indianos (wealthy Spanish from the West Indies), suspicious gentlemen, insufferable maniacs, repugnant sick people; the plague (the numbers) of the middle class!

And to think that it (i.e. the middle class) was the least bad! Because the ordinary-people .... Ugh! The ordinary people! And the general ignorance! What a martyrdom to have to hear at the table, without wanting to, such nonsense, so many vulgarities, that they filled the soul with weariness and sadness!'

Some meddlesome-persons, whom they never lack in hotels, tried to wheedle out of Pérez his ideas, his tastes; to make him talk, to be friendly in his manner, to oblige him to participate in the communal games; there was even an idiot who proposed that he dance a rigadoon (a lively dance with just one couple) with a certain elderly lady ....

Pérez had a special skill in order to shake off these flies. He kept the discreet far away from him with a few words; the indiscreet, with more work and some unavoidable coldness; but he did not delay long in seeing himself free of all.

Moreover, that sad humanity hindered him in the fight for the comforts; for the few comforts that the establishment offered. Others had the best rooms, the best places on the table; others occupied before him the best apparatus; and others, in short, ate/enjoyed the best slices (i.e. of food, but also of everthing.)

El puesto de honor en la mesa central, puesto que llevaba anejo el mayor mimo y agasajo del jefe de comedor y de los dependientes, y puesto que estaba libre de todas las corrientes de aire entre puertas y ventanas -- terror de Pérez -- pertenecía a un señor canónigo, muy gordo y muy hablador; no se sabía si por antigüedad o por odioso privilegio.

Pérez, que no estaba lejos del canónigo, le distinguía con un particular desprecio; lo envidiaba, despreciándole, y le miraba con ojos provocativos, sin que el otro se percatara de tal cosa. Don Sindulfo, el canónigo, había pretendido varias veces pegar la hebra con Pérez; pero éste le había contestado siempre con secos monosílabos. Y D. Sindulfo le había perdonado, porque no sabía lo que se hacía, siendo tan saludable la charla a la mesa para una buena digestión.

Don Sindulfo tenía un estómago de oro, y le entusiasmaba la comida de fonda, con salsas picantes y otros atractivos; Pérez tenía el estómago de acíbar, y aborrecía aquella comida llena de insoportables galicismos. Don Sindulfo soñaba despierto en la hora de comer; y D. Pedro Pérez temblaba al acercarse el tremendo trance de tener que comer sin gana.

-¡Ya va un toque! -decía sonriendo a todos don Sindulfo, y aludiendo a la campana del comedor.

-¡Ya han tocado dos veces! -exclamaba a poco, con voz que temblaba de voluptuosidad.

Y Pérez, oyéndole, se juraba acabar cierta monografía que tenía comenzada proponiendo la supresión de los cabildos catedrales.

Fue el sabio díscolo y presunto minando el terreno, intrigando con camareras y otros empleados de más categoría, hasta hacerse prometer, bajo amenaza de marcharse, que en cuanto se fuera el canónigo, que sería pronto, el puesto de honor, con sus beneficios, sería para él, para Pérez, costase lo que costase. También se le ofreció el cuarto de cierta esquina del edificio, que era el de mejores vistas, el más fresco y el más apartado del mundanal y fondil ruido.

The place of honour at the central table, the place that carried with it the greatest indulgence and the friendly welcome of the head waiter, and of the employees, and the place that was free of all the draughts of air between doors and windows -- a horror for Pérez -- belonged to a señor canon, very fat and very talkative; it was not known if for old age/seniority or for hateful privilege.

Pérez, who was not far from the canon, distinguished him with a particular contempt; he envied him, despising him, and he looked at him with provocative eyes, without the other becoming aware of any such thing. Don Sindulfo, the canon, had tried various times to start a conversation (lit: to join the thread) with Pérez; but the latter had always answered him with dry monosyllables. And Don Sindulfo had forgiven him, because he did not know what he was doing, conversation being so beneficial at the table for a good digestion.

Don Sindulfo had a stomach of gold, and hotel food delighted him, with spicy sauces and other attractions; Pérez had a sorry stomach (lit: of aloes), and hated that meal full of intolerable French things. Don Sindulfo dreamt awake about the time for eating; and Don Pedro Pérez trembled upon the difficult moment approaching of having to eat without desire.

"Now goes the chime!" Don Sindulfo used to say smiling at everyone, and alluding to the dining room bell.

"Already it has rung two times!" he would exclaim shortly afterwards, with a voice that trembled with voluptuousness.

And Pérez, hearing him, swore to himself to finish a certain monograph that he had begun proposing the suppression of the cathedral chapters.

He was the scholar unruly and presumptive, undermining the ground, intriguing with the chambermaids and other employees of more importance, until securing the promise, under the threat of leaving, that as soon as the canon should go away, which would be soon, the position of honour, with its benefits, would be for him, for Pérez, cost it what it might cost. Also the room of a certain corner of the building, that was the one with the best views, the most cool, and the most removed from the worldly and hotel noise, was offered to him.

111

Y para tomar café, se le prometió cierto rinconcito, muy lejos del piano, que ahora ocupaba un coronel retirado, capaz de andar a tiros con quien se lo disputara. En cuanto el coronel se marchase, que no tardaría, el rinconcito para Pérez.

En esto llegó Álvarez. Se le aplique todo lo dicho acerca de Pérez. Hay que añadir que Álvarez tenía el carácter más fuerte, el mismo humor endiablado, pero más energía y más desfachatez para pedir gollerías.

También le aburría aquel rebaño humano, de vulgaridad monótona; también se le puso en la boca del estómago el canónigo aquel, de tan buen diente, de una alegría irritante y que ocupaba en la mesa redonda el mejor puesto. Álvarez miraba también a don Sindulfo con ojos provocativos, y apenas le contestaba si el buen clérigo le dirigía la palabra. Álvarez también quiso el cuarto que solicitaba Pérez y el rincón donde tomaba café el coronel.

A la mesa notó Álvarez que todos eran unos majaderos y unos charlatanes... menos un señor viejo y calvo, como él, que tenía enfrente y que no decía palabra; ni se reía tampoco con los chistes grotescos de aquella gente. «No era charlatán, pero majadero también lo sería. ¿Por qué no?» Y empezó a mirarle con antipatía. Notó que tenía mal genio, que era un egoísta y maniático por el afán de imposibles comodidades.

«Debe de ser un profesor de instituto o un archivero lleno de presunción. Y él, Álvarez -- que era un sabio de fama europea, que viajaba de incógnito, con nombre falso, para librarse de curiosos o impertinentes admiradores -- aborrecía ya de muerte al necio pedantón que se permitía el lujo de creerse superior a la turbamulta del establecimiento. Además, se le figuraba que el archivero le miraba a él con ira, con desprecio.».

Y no era eso lo peor: lo peor era que coincidían en gustos, en preferencias que les hacían muchas veces incompatibles.

And in order to take coffee, a certain little corner, very far from the piano, that now was occupied by a retired colonel, capable of taking arms against he who might dispute it with him, was promised to him. As soon as the colonel might go away, which would not be long, the little corner (was) for Pérez.

At this point Álvarez arrived. Everything said about Pérez may be applied to him. It needs to be added that Álvarez had the stronger character, the same diabolical disposition, but more energy and more impudence to request delicacies/special treats.

Also that human flock, of monotonous vulgarity, bored him; also that canon, of such good tooth (i.e. such a greedy eater) of an irritating cheerfulness, and who occupied on the round table the best position, got him in the pit (lit: mouth) of the stomach. Álvarez also looked at Don Sindulfo with provocative eyes, and hardly answered if the good cleric addressed a word to him. Álvarez also wanted the room that Pérez sought and the corner where the colonel took coffee.

At the table Álvarez noticed that all were some conceited-fools and some idle-prattlers .... other than a gentleman old and bald, like him, whom he had in front of him and who did not say a word; nor did he laugh either at the uncouth jokes of those people. 'He was not an idle-prattler, but a conceited fool he would be also. Why not?' And he began to look at him with antipathy. He noticed that he had an ill-tempered disposition, that he was egoistic and obsessive with eagerness for impossible comforts.'

'He must be a teacher at an institute (i.e. a secondary school) or an archivist full of presumption. And he, Álvarez -- who was a scholar of European reputation, who travelled incognito, with a false name, in order to free himself from curious or impertinent admirers -- hated indeed to death the stupid great-pedant who allowed himself the luxury of believing himself superior to the rabble of the establishment. In addition, he imagined that the archivist looked at him with anger, with contempt.'

And this was not the worst; the worst was that they coincided in tastes, in preferences that made them frequently incompatible.

No cabían los dos en el establecimiento. Álvarez se iba al corredor en cuanto el pianista la emprendía con la Rapsodia húngara... Y allí se encontraba a Pérez, que huía también de Listz adulterado. En el gabinete de lectura nadie leía el Times... más que el archivero, y justamente a las horas en que él, Álvarez quería enterarse de la política extranjera en el único periódico de la casa que no le parecía despreciable.

«El archivero sabe inglés. ¡Pedante!».

No gustaba Álvarez de tomar el fresco en los jardines ramplones del establecimiento, sino que buscaba la soledad de un prado, de fresca hierba y en cuesta muy pina, que había a espaldas de la casa...

Pues allá, en lo más alto del prado, a la sombra de su manzano..., se encontraba todas las tardes a Pérez, que no soñaba con que estaba estorbando.

Ni Pérez ni Álvarez abandonaban el sitio; se sentaban muy cerca uno de otro, sin hablarse, mirándose de soslayo con rayos y centellas.

Si el archivero supuesto tales simpatías merecía al fingido Álvarez, Álvarez a Pérez le tenía frito, y ya Pérez le hubiera provocado abiertamente, si no hubiera advertido que era hombre enérgico y, probablemente, de más puños que él.

Pérez, que era un sabio hispano-americano del Ecuador, que vivía en España muchos años hacía, estudiando nuestras letras y ciencias y haciendo frecuentes viajes a París, Londres, Rusia, Berlín y otras capitales; Pérez, que no se llamaba Pérez, sino Gilledo, y viajaba de incógnito, a veces, para estudiar las cosas de España; digo que Gilledo o Pérez había creído que el intruso Álvarez, era alguna notabilidad de campanario, que se daba tono de sabio con extravagancias y manías que no eran más que pura comedia.

Comedia que a él le perjudicaba mucho, pues, sin duda por imitarle, aquel desconocido, boticario probablemente, se le atravesaba en todas sus cosas: en el paseo, en el corredor, y en el gabinete de lectura.

There was no room for the two in the establishment. Álvarez went off to the corridor whenever the pianist undertook the Hungarian Rhapsody ..... And there he would find Pérez, who also fled from Listz adulterated/debased. In the reading room nobody read the Times .... other than the archivist, and just at the times at which he, Álvarez wanted to inform himself about foreign politics in the only newspaper of the house that did not seem contemptible to him.

'The archivist knew English. Pedant!'

Álvarez did not like to take fresh air in the common gardens of the establishment, but he sought the solitude of a meadow, of fresh grass and on a very steep slope, that there was at the back of the house .....

And there, in the highest point of the meadow, in the shade of its apple tree ..... every afternoon, he found Pérez, who did not dream that he was in the way.

Neither Pérez nor Álvarez would abandon the place; they would sit very near one to the other, without talking, looking at each other sideways with fury (lit: with flashes and sparks).

If the supposed archivist deserved such sympathies from the pretended Álvarez, Álvarez irritated Pérez, and indeed Pérez would have provoked him openly, if he had not observed that he was a vigorous man and, probably, stronger (lit: of more fists) then he.

Pérez, who was a Spanish-American scholar from Ecuador, who had been living in Spain for many years, studying our learning/humanities and sciences and making frequent journeys to Paris, London, Russia, Berlin and other capitals; Pérez, who was not called Pérez but Gilledo, and travelled incognito at times, in order to study Spanish matters; I say that Gilledo or Pérez had believed that the intruder Álvarez, was some small-town celebrity (lit: notability of a bell tower), who gave himself the air (lit: tone of a scholar with extravagances and whims that were no more than pure comedy.

A comedy that hurt him a lot, for, without doubt so as to imitate him, that unknown, apothecary probably, cut across him in all his affairs: in his walk, in the corridor, and in the reading room.

Pérez había notado también que Álvarez despreciaba o fingía despreciar a la multitud insípida y que miraba con rencor y desfachatez al canónigo que presidía la mesa.

La antipatía, el odio se puede decir, que mutuamente se profesaban los sabios incógnitos crecía tanto de día en día, que los disimulados testigos de su malquerencia llegaron a temer que el sainete acabara en tragedia, y aquellos respetables y misteriosos vejetes se fueran a las manos.

Llegó un día crítico. Por casualidad, en el mismo tren se marcharon el canónigo, el huésped que ocupaba la habitación tan apetecida, y el coronel, que dejaba libre el rincón más apartado del piano. Terrible conflicto. Se descubrió que el amo del establecimiento había ofrecido la sucesión de D. Sindulfo, y la habitación más cómoda, a Pérez primero, y después a Álvarez.

Pérez tenía el derecho de prioridad, sin duda; pero Álvarez... era un carácter. ¡Solemne momento! Los dos, temblando de ira, echaron mano al respaldo. No se sabía si se disputaban un asiento o un arma arrojadiza.

No se insultaron, ni se comieron la figura más que con los ojos.

El amo de la casa se enteró del conflicto, y acudió al comedor corriendo.

-¡Usted dirá! -exclamaron a un tiempo los sabios.

Hubo que convenir en que el derecho de Pérez era el que valía. Álvarez cedió en latín, es decir, invocando un texto del derecho romano que daba la razón a su adversario. Quería que constase que cedía a la razón, no al miedo.

Pero llegó lo del aposento disputado. ¡Allí fue ella! También Pérez era el primero en el tiempo... pero Álvarez declaró que lo que es absurdo desde el principio, y nulo, por consiguiente, *tractu temporis convalescere non potest*, no puede hacerse bueno con el tiempo; y como era absurdo que todas las ventajas, se las llevase Pérez, él se atenía a la promesa que había recibido..., y se instalaba desde luego en la habitación dichosa; donde, en efecto, ya había metido sus maletas.

Pérez had noticed also that Álvarez despised, or pretended to despise, the insipid masses and looked with resentment and impudence at the canon who presided at the table.

The antipathy, the hatred one could say, that mutually the incognitos scholars professed for one another, grew so much from day to day, that the furtive witnesses of their dislike came to fear that the farce might end in tragedy, and those respectable and mysterious old-boys might come to blows (lit: hands).

A critical day arrived. By chance, on the same train went off the canon, the guest who occupied the room so desired, and the colonel, who left free the corner furthest away from the piano. A terrible conflict. It was discovered that the owner of the establishment had offered the succession of Don Sindulfo, and the most comfortable room, to Pérez first, and afterwards to Álvarez.

Pérez had the right of priority, without doubt; but Álvarez .... was a character. A solemn moment! The two, trembling with anger, laid a hand on the back (of the chair). One did not know if they disputed a seat or an easily thrown weapon.

They did not insult one another, nor did they devour one another more than with the eyes.

The owner of the house became aware of the conflict, and came running to the dining room.

"You will say!" the scholars exclaimed at the same time.

It had to be agreed that the right of Pérez was the one that was valid. Álvarez yielded in Latin, that is to say, invoking a text in Roman law that agreed with (lit: gave the reason/right to) his adversary, He wanted it to be clear that he gave way out of reason, not from fear.

But the matter of the disputed room came up. There it was! Also Pérez was the first in time .... but Álvarez declared that what is absurd from the beginning, and null/void, consequently, *cannot gain strength by the passage of time* (in Latin), is not able to be made good with time; and as it was absurd that Pérez should take all the advantages, he would abide by the promise that he had received..... and he installed himself straightaway in the blessed room; where in effect, he had already placed his suitcases.

Y plantado en el umbral, con los puños cerrados amenazando al mundo, gritó:

—*In pari causa, melior est conditio possidentis*. Y entró y se cerró por dentro.

Pérez cedió, no a los textos romanos, sino por miedo.

En cuanto al rincón del coronel, se lo disputaban todos los días; apresurándose a ocuparlo, el que primero llegaba y protestando el otro con ligeros refunfuños y sentándose muy cerca y a la misma mesa de mármol.

Se aborrecían, y por la igualdad de gustos y disgustos, simpatías y antipatías, siempre huían de los mismos sitios y buscaban los mismos sitios.

Una tarde, huyendo de la Rapsodia húngara, Pérez se fue al corredor y se sentó en una mecedora, con un lío de periódicos y cartas entre las manos.

Y a poco llegó Álvarez con otro lío semejante, y se sentó, enfrente de Pérez, en otra mecedora. No se saludaron, por supuesto.

Se enfrascaron en la lectura de sendas cartas.

De entre los pliegues de la suya sacó Álvarez una cartulina, que contempló pasmado.

Al mismo tiempo, Pérez contemplaba una tarjeta igual con ojos de terror.

Álvarez levantó la cabeza y se quedó mirando atónito a su enemigo.

El cual también, a poco, alzó los ojos y contempló, con la boca abierta, al infausto Álvarez; el cual, con voz temblona, empezando a incorporarse y alargando una mano, llegó a decir:

-Pero... usted, señor mío..., ¿es... puede usted ser... el doctor... Gilledo?...

-Y usted... o estoy soñando... o es... parece ser... ¿es... el ilustre Fonseca?...

-Fonseca el amigo, el discípulo, el admirador... el apóstol del maestro Gilledo... de su doctrina...

And planted on the threshold, with his fists clenched threatening everyone (the world), he shouted (in Latin):

"*For equal claims, better is the condition of the possessor.*" And he entered and shut himself inside.

Pérez gave way, not to the Roman texts but from fear.

With regard to the Colonel's corner, they disputed it every day; the one who first arrived hurrying to occupy it, and the other protesting with low grumblings and seating himself very close and at the same table of marble.

They detested one another, and because of the similarity of likes and dislikes, sympathies and antipathies, they always fled from the same places and looked for the same places.

One afternoon, fleeing from the Hungarian Rhapsody, Pérez went to the corridor and sat on a rocking chair, with a bundle of newspapers and letters among his hands.

And after a short while Álvarez arrived with another similar bundle, and sat down in front of Pérez, in another rocking chair. Of course they did not greet one another.

They absorbed themselves in the reading of their respective letters.

From among the folds of his, Álvarez took out a piece of thin card, that he contemplated astonished.

At the same time, Pérez contemplated a similar card with eyes of terror.

Álvarez raised his head and remained looking astonished at his enemy.

He also, after a short while, raised his eyes and contemplated, with his mouth open, the ill-fated Álvarez; who, with a trembling voice, beginning to sit up and extending a hand, succeeded in saying:

"But ... you, sir ... are.... could you be.... Doctor Gilledo?...

"And you .... or I am dreaming ..... or you are .... you appear to be... you are...the famous Fonseca? ...

"Fonseca the friend, the disciple, the admirer .... the apostle of the maestro Gilledo .... of his doctrine...."

-De nuestra doctrina, porque es de los dos: yo el iniciador, usted el brillante, el sabio, el profundo, el elocuente reformador, propagandista... a quien todo se lo debo.

-¡Y estábamos juntos!...

-¡Y no nos conocíamos!...

-Y a no ser por esta flaqueza... ridícula... que partió de mí, lo confieso, de querer conocernos por estos retratos...

-Justo, a no ser por eso...

Y Fonseca abrió los brazos, y en ellos estrechó a Gilledo, aunque con la mesura que conviene a los sabios.

La explicación de lo sucedido es muy sencilla. A los dos se les había ocurrido, como queda dicho, la idea de viajar de incognito. Desde su casa en Madrid, Fonseca, y, desde no sé dónde, Gilledo, se hacían enviar la correspondencia al hotel, en paquetes dirigidos a Pérez y Álvarez, respectivamente.

Muchos años hacía que Gilledo y Fonseca eran uña y carne en el terreno de la ciencia. Iniciador Gilledo de ciertas teorías muy complicadas acerca del movimiento de las razas primitivas y otras baratijas prehistóricas,

Fonseca había acogido sus hipótesis con entusiasmo, sin envidia; había hecho de ellas aplicaciones muy importantes en lingüística y sociología, en libros más leídos, por más elocuentes, que los de Gilledo.

Ni éste envidiaba al apóstol de su idea, el brillo de su vulgarización, ni Fonseca dejaba de reconocer la supremacía del iniciador, del maestro, como llamaba al otro sinceramente.

La lucha de la polémica que unidos sostuvieron con otros sabios, estrechó sus relaciones; si al principio, en su ya jamás interrumpida correspondencia, sólo hablaban de ciencia, el mutuo afecto, y también la vanidad mancomunada, les hicieron comunicar más íntimamente, y llegaron a escribirse cartas de hermanos más que de colegas.

"Of our doctrine, because it is from the two (of us): I the initiator, you the brilliant, the learned, the profound, the eloquent reformer, propagandist ...... to whom I owe everything."

"And we were together! ...."

"And we did not know each other! ...."

"And if it had not been for this ridiculous ... weakness .... that came from me, I confess it, of wanting us to be acquainted by these pictures .... "

"Exactly, if it were not for this..."

And Fonseca opened his arms, and in them he embraced Gilledo, although with the moderation that befits scholars.

The explanation of what had happened is very simple. To the two had occurred, as was said, the idea of travelling incognito. Fonseca, from his house, in Madrid, and, from I know not where, Gilledo, had caused correspondence to be sent to the hotel, in packets directed to Pérez and Álvarez respectively.

Since many years before, Gilledo and Fonseca were firm friends (lit: fingernail and flesh) in the field of science. Gilledo, the initiator of certain very complicated theories about the movement of primitive races and other prehistoric trifles.

Fonseca had accepted his hypothesis with enthusiasm, without envy; he had made very important applications of them in linguistics and sociology, in books more read, because more eloquent, than those of Gilledo.

Nor did the latter envy the apostle of his idea, the splendour of his popularization, nor Fonseca cease to acknowledge the supremacy of the initiator, of the master, as he called the other sincerely.

The fight of polemics, that together sustained them with other scholars, tightened their relationship; if at first, in their now never interrupted correspondence, they only talked of science, the mutual respect and also the vanity jointly shared, made them communicate more intimately, and they came to write the letters of brothers more than of colleagues.

121

Álvarez, o Fonseca, más apasionado, había llegado al extremo de querer conocer la *vera effigies* (Latin) de su amigo; y quedaron en enviarse mutuamente su retrato con la misma fecha.

Y la casualidad, que es indispensable en esta clase de historias, hizo que las tarjetas aquellas, que tal vez evitaron un crimen, llegaran a su destino el mismo día.

Más raro parecerá que ninguno de ellos hubiera escrito al otro, lo de la ida a tal hotel, ni el nombre falso que adoptaban... Pero tales noticias se las daban precisamente -- ¡claro! -- en las cartas que con los retratos venían.

Mucho, mucho se estimaban Álvarez y Pérez -- a quienes llamaremos así por guardarles el secreto, ya que ellos nada de lo sucedido quisieron que se supiera en la fonda -- .

Tanto se estimaban, y tan prudentes y verdaderamente sabios eran, que -- depuestos, como era natural, todas las rencillas y odios que les habían separado mientras no se conocían -- no sólo se trataron en adelante con el mayor respeto y mutua consideración, sin disputarse cosa alguna..., sino que, al día siguiente de su gran descubrimiento, coincidieron una vez más en el propósito de dejar, cuanto antes, el hotel y volverse por donde habían venido.

Y, en efecto, aquella misma tarde Gilledo tomó el tren hacia el sur, y Fonseca el hacia el norte.

Y no se volvieron a ver en la vida.

Y cada cual se fue pensando para su coleto que había tenido la prudencia de un Marco Aurelio, cortando por lo sano y separándose cuanto antes del otro.

Porque ¡oh miseria de las cosas humanas! La pueril, material antipatía que el amigo desconocido le había inspirado... no había llegado a desaparecer después del infructuoso reconocimiento.

Álvarez, or Fonseca, more impulsive/passionate, had reached the extreme of wanting to know the true likeness of his friend; and they agreed to send each other mutually their picture on the same date.

And chance, which is indispensable in this type of stories, arranged that those cards, that perhaps prevented a crime, should arrive at their destination on the same day.

It will seem more strange that neither of them should have written to the other, about the matter of the going to such hotel, nor about the false name that they were adopting ..... But such information they gave each other precisely – clearly! -- in the letters that came with the portraits.

Álvarez and Pérez -- whom we will so call in order to keep the secret, since they desired that nothing that of what had happened should be known about in the hotel – greatly, greatly esteemed one another.

So much did they esteem each other, and so prudent and truly scholars they were, that – abandoned/removed, as was natural, all the quarrels and hatreds that had separated them whilst they did not know each other -- not only did they treat each other, from then on, with the greatest respect and mutual consideration, without arguing about anything ... but rather, the day following their great discovery, they concurred once more in the intention of leaving, as soon as possible, the hotel, and of returning to where they had come from.

And in effect that same afternoon Gilledo took the train towards the south, and Fonseca the (train) towards the north.

And they did not see one another again in their lives.

And each one went thinking to himself (lit: to his jerkin) that he had had the prudence of a Marcus Aurelius (Roman Emperor and stoic philosopher) making a clean break and separating himself as soon as possible from the other.

Because, oh, the meanness of human things! The childish, commonplace antipathy that the unknown friend had inspired .... had not succeeded in disappearing after the unfruitful recognition.

El personaje ideal, pero de carne y hueso, que ambos se habían forjado cuando se odiaban y despreciaban sin conocerse, era el que subsistía; el amigo real, pero invisible, de la correspondencia y de la teoría común, quedaba desvanecido.

Para Fonseca, el Gilledo que había visto, seguía siendo el aborrecido archivero; y para Gilledo, Fonseca, el odioso boticario.

Y no volvieron a escribirse sino con motivo puramente científico.

Y al cabo de un año, una revista publicó un artículo de sensación para todos los arqueólogos del mundo.

Se titulaba 'Una Disidencia.'

Y lo firmaba Fonseca. El cual procuraba demostrar que las razas aquellas no se habían movido de Occidente a Oriente, como él había creído, influido por sabios maestros, sino más bien, siguiendo la marcha aparente del sol,... de Oriente a Occidente.

The ideal/imaginary character, but of flesh and bone, that both had fashioned when they hated and despised each other without knowing one other, was the one who remained; the friend, real but invisible, of the correspondence and the common theory, became faded.

For Fonseca, the Gilledo whom he had seen, continued being the detested archivist; and for Gilledo, Fonseca the hateful apothecary.

And they did not again write to each other except with a purely scientific motive.

And at the end of a year, a journal published a sensational article for all the archaeologists of the world.

It was entitled 'A Dissent.'

And Fonseca signed it. He attempted to demonstrate that those races had not moved from the West to the East, as he had believed, influenced by scholarly authorities, but rather, following the apparent movement of the sun, ... from the East to the West.

9. El Dúo De La Tos

El gran hotel del Águila tiende su enorme sombra sobre las aguas dormidas de la dársena. Es un inmenso caserón cuadrado, sin gracia, de cinco pisos, hospicio de viajeros, cooperación anónima de la indiferencia, negocio por acciones, dirección por contrata que cambia a menudo, veinte criados que cada ocho días ya no son los mismos, docenas y docenas de huéspedes que no se conocen, que se miran sin verse, que siempre son otros y que cada cual toma por los de la víspera.

«Se está aquí más solo que en la calle, tan solo como en el desierto», piensa un bulto, un hombre envuelto en un amplio abrigo de verano, que chupa un cigarro apoyándose con ambos codos en el hierro frío de un balcón, en el tercer piso. En la obscuridad de la noche nublada, el fuego del tabaco brilla en aquella altura como un gusano de luz. A veces aquella chispa triste se mueve, se amortigua, desaparece, vuelve a brillar.

«Algún viajero que fuma», piensa otro bulto, dos balcones más a la derecha, en el mismo piso. Y un pecho débil, de mujer, respira como suspirando, con un vago consuelo, por el indeciso placer de aquella inesperada compañía en la soledad y la tristeza.

«Si me sintiera muy mal, de repente; si diera una voz para no morirme sola, ese que fuma ahí me oiría», sigue pensando la mujer, que aprieta contra un busto delicado, quebradizo, un chal de invierno, tupido, bien oliente.

«Hay un balcón por medio; luego es en el cuarto número 36. A la puerta, en el pasillo, esta madrugada, cuando tuve que levantarme a llamar a la camarera, que no oía el timbre, estaban unas botas de hombre elegante».

De repente desapareció una claridad lejana, produciendo el efecto de un relámpago que se nota después que pasó.

«Se ha apagado el foco del Puntal», piensa, con cierta pena, el bulto del 36, que se siente así más solo en la noche. «Uno menos para velar; uno que se duerme.»

9. The Duet Of The Cough

The big hotel of the Águila spreads its enormous shadow over the sleepy waters of the harbour. It is an immense ramshackle house, square, without charm, of five floors, hospice of travellers, an anonymous cooperation of indifference, business by shares, management by written-contract that often changes, twenty servants that each eight days are different (lit: not the same), dozens and dozens of guests who do not know each other, who look at themselves without seeing themselves, who always are others and whom each of them takes for those of the evening before.

'One is here more alone than in the street, as alone as in the desert,' thinks a shape, a man wrapped in a loose-fitting full coat of summer, who puffs a cigar, supporting himself with both elbows on the cold iron of a balcony, on the third floor. In the obscurity of the clouded night, the fire of the tobacco shines in that high-place like a glow worm. At times that sad spark moves, it damps down, it disappears, it shines again.

'Some traveller who smokes,' thinks another shape, two balconies more to the right on the same floor. And a weak chest, of a woman, breathes as though sighing, with a vague comfort, for the uncertain pleasure of that unexpected company in the solitude and the sadness.

'If I were to feel very ill, suddenly; if I should give a shout in order not to die alone, the one that smokes there would hear me', continues thinking the woman, who pulls against a delicate sickly chest, a winter shawl, thick-woven, sweet smelling.

'There is a balcony in between; then it is room number 36. At the door, in the corridor, this morning, when I had to get up to call the maid, who did not hear the bell, were some boots of a fashionable man'.

Suddenly a distant brightness disappeared, producing the effect of a flash-of-lightning that is noticed after it passed.

'The floodlight of Puntal has shut down', thinks, with a certain sorrow, the shape of no. 36, who feels thus more alone in the night. 'One less in order to keep watch with; one that sleeps.'

127

Los vapores de la dársena, las panzudas gabarras sujetas al muelle, al pie del hotel, parecen ahora sombras en la sombra. En la obscuridad el agua toma la palabra y brilla un poco, cual una aprensión óptica, como un dejo de la luz desaparecida, en la retina, fosforescencia que padece ilusión de los nervios. En aquellas tinieblas, más dolorosas por no ser completas, parece que la idea de luz, la imaginación recomponiendo las vagas formas, necesitan ayudar para que se vislumbre lo poco y muy confuso que se ve allá abajo. Las gabarras se mueven poco más que el minutero de un gran reloj; pero de tarde en tarde chocan, con tenue, triste, monótono rumor, acompañado del ruido de la mar que a lo lejos suena, como para imponer silencio, con voz de lechuza.

El pueblo, de comerciantes y bañistas, duerme; la casa duerme.

El bulto del 36 siente una angustia en la soledad del silencio y las sombras.

De pronto, como si fuera un formidable estallido, le hace temblar una tos seca, repetida tres veces -- como canto dulce de codorniz madrugadora -- que suena a la derecha, dos balcones más allá. Mira el del 36, y percibe un bulto más negro que la obscuridad ambiente, del matiz de las gabarras de abajo. «Tos de enfermo, tos de mujer.» Y el del 36 se estremece; se acuerda de sí mismo; había olvidado que estaba haciendo una gran calaverada, una locura. ¡Aquel cigarro! Aquella triste contemplación de la noche al aire libre. ¡Fúnebre orgía! Estaba prohibido el cigarro, estaba prohibido abrir el balcón a tal hora, a pesar de que corría agosto y no corría ni un soplo de brisa. «¡Adentro, adentro!» ¡A la sepultura, a la cárcel horrible, al 36, a la cama, al nicho!»

Y el 36, sin pensar más en el 32, desapareció; cerró el balcón con triste rechino metálico, que hizo en el bulto de la derecha un efecto melancólico, análogo al que produjera antes el bulto que fumaba, la desaparición del foco eléctrico del Puntal.

The steamships of the harbour, the potbellied barges fastened to the quay, at the foot of the hotel, appear now shadows in the shadow. In the obscurity the water speaks (lit: takes the word), and shines a little, like an optical apprehension, as a left-over of the disappeared light in the retina, a phosphorescence that suffers a nervous illusion. In that darkness, more painful for not being complete, it seems that the idea of light, the imagination recomposing the vague shapes, need help in order that the little and very confused/indistinct that is seen down there, may be glimpsed. The barges move little more than the minute-hand of a big clock; but at rare intervals they collide, with a faint, sad, monotonous murmur, accompanied by the sound of the sea that in the distance is heard, as though in order to impose silence, with the voice of an owl.

The town, of business people/shopkeepers and bathers, sleeps; the house sleeps.

The shape of the no. 36 feels an anguish in the solitude of the silence and the shadows.

Suddenly, as if it were a formidable explosion, a dry cough makes him tremble, repeated (i.e. the cough) three times -- like the sweet song of the early-rising quail -- that sounds to the right, two balconies further away. The one of no. 36 looks and observes a shape more black than the ambient obscurity/darkness, of the shade of the barges below. 'The cough of a sick-person, the cough of a woman.' And the one of no. 36 shivers; he remembers himself; he had forgotten that he was engaging in a silly-escapade, something-crazy. That cigar! That sad contemplation of the night in the open air. Funereal orgy! He was forbidden the cigar, he was prohibited to open the balcony at such an hour, in spite of it being August and it was not blowing even a puff of a breeze. 'Inside, inside!' To the tomb, to the horrible prison, to no. 36, to the bed, to the niche/recess!'

And the one of no. 36, without thinking more of the one of no. 32, disappeared; he closed the balcony with metallic squeaking; that created in the shape to the right a melancholy effect, analogous to that which earlier the disappearance of the electric light of Puntal produced in the shape that was smoking.

«Sola del todo», pensó la mujer, que, aún tosiendo, seguía allí, mientras hubiera aquella compañía... compañía semejante a la que se hacen dos estrellas que nosotros vemos desde aquí, juntas, gemelas, y que allá en lo infinito, ni se ven ni se entienden.

Después de algunos minutos, perdida la esperanza de que el 36 volviera al balcón, la mujer que tosía se retiró también; como un muerto que, en forma de fuego fatuo, respira la fragancia de la noche y se vuelve a la tierra.

Pasaron una, dos horas. De tarde en tarde hacia dentro, en las escaleras, en los pasillos, resonaban los pasos de un huésped trasnochador. Por las rendijas de la puerta, entraban en las lujosas celdas, horribles con su lujo uniforme y vulgar, rayos de luz, que giraban y desaparecían.

Dos o tres relojes de la ciudad cantaron la hora; solemnes campanadas precedidas de la tropa ligera de los cuartos, menos lúgubres y significativos. También en la fonda hubo reloj que repitió el alerta.

Pasó media hora más. También lo dijeron los relojes.

«Enterado, enterado», pensó el 36, ya entre sábanas; y se figuraba que la hora, sonando con aquella solemnidad, era como la firma de los pagarés, que iba presentando a la vida su acreedor, la muerte. Ya no entraban huéspedes. A poco, todo debía morir. Ya no había testigos; ya podía salir la fiera; ya estaría a solas con su presa.

En efecto; en el 36 empezó a resonar, como bajo la bóveda de una cripta, una tos rápida, enérgica, que llevaba en sí misma el quejido ronco de la protesta.

«Era el reloj de la muerte», pensaba la víctima, el número 36, un hombre de treinta años, familiarizado con la desesperación, solo en el mundo, sin más compañía que los recuerdos del hogar paterno, perdidos allá en lontananzas de desgracias y errores, y una sentencia de muerte pegada al pecho, como una factura de viaje a un bulto en un ferrocarril.

'All alone', thought the woman, who, still coughing, continued there, whilst that company might be there...... company similar to that which two stars make, which we see from here, together, twins, and that there in infinity, neither see nor understand each other.

After some minutes, the hope lost that the one of 36 might return to the balcony, the woman who coughed retired as well; like a dead person that, in the form of a will-o'-the-wisp, breathes the fragrance of the night and returns to the earth.

One, two hours passed. At rare intervals inside, on the stairs, in the corridors, the steps of an up-late guest resounded. Through the chinks of the door, rays of light, that twisted and disappeared, entered into the luxurious cells, horrible with their uniform and vulgar luxury.

Two or three clocks of the city tolled the hour: solemn bell-strokes preceded by the lighter call-to-arms of the quarters, less sombre and significant. Also in the inn there was a clock that repeated the alert.

Half an hour more passed. Also the clocks struck it.

'Got it, got it', thought the 36, now between the sheets; and he imagined that the hour, chiming with that solemnity, was like the signing of the promissory-notes/IOUs, which his creditor, death, went on presenting to his life. Now guests were not entering. Shortly, all must die. Now there were no witnesses; now the wild-beast was able to come out; now it would be alone with its prey.

Indeed; in no. 36 began to resonate, as underneath the vault of a crypt, a cough, fast, energetic, that carried in itself the hoarse whine of protest.

'It is the clock of the dead', thought the victim, the number 36, a man of thirty years, familiar with despair, alone in the world, without more company than the memories of the paternal home, lost there in the distances of misfortunes and mistakes, and a sentence of death stuck to the chest, like a travel invoice to a package on a railway.

Iba por el mundo, de pueblo en pueblo; como bulto perdido, buscando aire sano para un pecho enfermo; de posada en posada, peregrino del sepulcro; cada albergue que el azar le ofrecía le presentaba aspecto de hospital. Su vida era tristísima y nadie le tenía lástima. Ni en los folletines de los periódicos encontraba compasión. Ya había pasado el romanticismo que había tenido alguna consideración con los tísicos. El mundo ya no se pagaba de sensiblerías, o iban éstas por otra parte. El número 36 era contra el proletariado, que se llevaba toda la lástima del público.

-El pobre jornalero, ¡el pobre jornalero! -repetía, y nadie se acuerda del pobre tísico, del pobre condenado a muerte del que no han de hablar los periódicos. La muerte del prójimo, en no siendo digna de la Agencia Fabra; ¡qué poco le importa al mundo!

Y tosía, tosía en el silencio lúgubre de la fonda dormida, indiferente como el desierto. De pronto creyó oír como un eco lejano y tenue de su tos... Un eco... en tono menor. Era la del 32. En el 34 no había huésped aquella noche. Era un nicho vacío.

La del 32 tosía, en efecto; pero su tos era... ¿cómo se diría? Más poética, más dulce, más resignada. La tos del 36 protestaba; a veces rugía. La del 32 casi parecía un estribillo de una oración, un miserere. Era una queja tímida, discreta, una tos que no quería despertar a nadie.

El 36, en rigor, todavía no había aprendido a toser; como la mayor parte de los hombres sufren y mueren sin aprender a sufrir y a morir. El 32 tosía con arte; con ese arte del dolor antiguo, sufrido, sabio, que suele refugiarse en la mujer.
Llegó a notar el 36 que la tos del 32 le acompañaba como una hermana que vela; parecía toser para acompañarle.

He went through the world, from town to town; as a lost package, looking for air healthy for a sick chest; from lodging-house to lodging-house, a pilgrim of the grave; each lodging/refuge that chance offered him, presented to him the look of a hospital. His life was very sad and nobody had pity for him. Not even in the serial-stories of the newspapers did he find compassion. Now had gone the romanticism that had had some consideration for the consumptives. The world now did not trouble with sentimentalities, or these went elsewhere. The number 36 was against the proletariat, who had all the pity of the public.

'The poor labourer, the poor labourer!' he repeated, and no-one remembered the poor consumptive, the poor-person condemned to a death of which the newspapers did not have to speak. The death of the neighbour/fellow-man not being worthy of the Fabra Agency (a news agency); how little did it matter to the world!

And he coughed, he coughed in the mournful silence of the sleeping inn, indifferent as the desert. Suddenly he believed he heard a distant and faint echo of his cough.... An echo.... in a lower tone. It was the one of no.32. In the 34 there was no guest that night. It was an empty niche.

The one of 32 coughed, indeed; but her cough was...how would one say it? More poetic, sweeter, more resigned. The cough of 36 protested/complained; at times roared. That of 32 almost seemed a refrain of a prayer, a miserere (i.e. a cry for mercy). It was a complaint, timid, discreet, a cough that did not want to wake up anyone.

The 36, in rigour/harshness, still had not learned to cough; as the greater part of men suffer and die without learning to suffer and to die. The 32 coughed with art; with that art of the old pain, long-suffering, wise, that usually shelters in the woman.

The 36 began to notice that the cough of no 32 was accompanying him like a sister who kept watch; she seemed to cough in order to accompany him.

Poco a poco, entre dormido y despierto, con un sueño un poco teñido de fiebre, el 36 fue transformando la tos del 32 en voz, en música; y le parecía entender lo que decía, como se entiende vagamente lo que la música dice.

La mujer del 32 tenía veinticinco años, era extranjera; había venido a España por hambre, en calidad de institutriz en una casa de la nobleza. La enfermedad la había hecho salir de aquel asilo; le habían dado bastante dinero para poder andar algún tiempo, sola por el mundo, de fonda en fonda; pero la habían alejado de sus discípulas. Naturalmente. Se temía el contagio. No se quejaba.

Pensó primero en volver a su patria. ¿Para qué? No la esperaba nadie; además, el clima de España era más benigno. A ella le parecía esto muy frío, el cielo azul muy triste, un desierto. Había subido hacia el Norte, que se parecía un poco más a su patria. No hacía más que eso, cambiar de pueblo y toser. Esperaba locamente encontrar alguna ciudad o aldea en que la gente amase a los desconocidos enfermos.

La tos del 36 le dio lástima y le inspiró simpatía. Conoció pronto que era trágica también. «Estamos cantando un dúo», pensó; y hasta sintió cierta alarma del pudor, como si aquello fuera indiscreto, una cita en la noche. Tosió porque no pudo menos; pero bien se esforzó por contener el primer golpe de tos.

La del 32 también se quedó medio dormida, y con algo de fiebre; casi deliraba también; también trasportó la tos del 36 al país de los ensueños, en que todos los ruidos tienen palabras. Su propia tos se le antojó menos dolorosa, apoyándose en aquella varonil que la protegía contra las tinieblas, la soledad y el silencio. «Así se acompañarán las almas del purgatorio.»

Por una asociación de ideas, natural en una institutriz, del purgatorio pasó al Infierno, al del Dante, y vio a Paolo y Francesca abrazados en el aire, arrastrados por la bufera infernal.

Little by little, between sleep and wakefulness, with a dream a little tinged by fever, the 36 was transforming the cough of the 32 in sound, in music; and seemed to understand what it was saying, as one understands vaguely what music says.

The woman of no. 32 was twenty-five years old, she was a foreigner; she had come to Spain through hunger (i.e. poverty), in the position of a governess in a house of the nobility. The illness had made her leave that refuge; they had given her enough money in order to be able to get along for some time, alone through the world, from inn to inn; but they had removed her from her pupils. Naturally. The contagion was feared. She did not complain.

She thought first to return to her mother-country. For what? No-one awaited her; also the climate of Spain was more benign. To her this seemed very cold, the blue sky very sad, a desert. She had gone up towards the north, which appeared a little more like her mother-country. She did not do more than this, to change villages and to cough. She hoped crazily to find a city or hamlet in which the people might love unknown ill-people.

The cough of the 36 gave her compassion and inspired sympathy. She knew at once that it was tragic also. 'We are singing a duet' she thought; and even felt a certain alarm of modesty, as if that were indiscreet, an appointment in the night. She coughed because she could not do less; even so she strained herself to contain the first blow of the cough.

The one of 32 also remained half asleep, and with something of fever; she was almost delirious as well; also she transported the cough of the 36 to the country of the dreams in which all the noises have words. Her own cough seemed to her less painful, leaning on that manly one that protects her against the shadows, the solitude and the silence. 'Like this the souls in purgatory will accompany each other.'

By an association of ideas, natural in a governess, from purgatory she passed to the Infierno, to that of Dante, and saw Paolo and Francesca (characters in Dante's Infierno) embraced in the air, dragged by the infernal storm. (bufera: Italian = storm).

La idea de la pareja, del amor, del dúo, surgió antes en el número 32 que en el 36.

La fiebre sugería en la institutriz cierto misticismo erótico; ¡erótico!, no es ésta la palabra. ¡Eros! El amor sano, pagano ¿qué tiene aquí que ver? Pero en fin, ello era amor, amor de matrimonio antiguo, pacífico, compañía en el dolor, en la soledad del mundo. De modo que lo que en efecto le quería decir la tos del 32 al 36 no estaba muy lejos de ser lo mismo que el 36, delirando, venía como a adivinar.

«¿Eres joven? Yo también. ¿Estás solo en el mundo? Yo también. ¿Te horroriza la muerte en la soledad? También a mí. ¡Si nos conociéramos! ¡Si nos amáramos! Yo podría ser tu amparo, tu consuelo. ¿No conoces en mi modo de toser que soy buena, delicada, discreta, casera, que haría de la vida precaria un nido de pluma blanda y suave para acercarnos juntos a la muerte, pensando en otra cosa, en el cariño? ¡Qué solo estás! ¡Qué sola estoy! ¡Cómo te cuidaría yo! ¡Cómo tú me protegerías! Somos dos piedras que caen al abismo, que chocan una vez al bajar y nada se dicen, ni se ven, ni se compadecen... ¿Por qué ha de ser así? ¿Por qué no hemos de levantarnos ahora, unir nuestro dolor, llorar juntos? Tal vez de la unión de dos llantos, naciera una sonrisa. Mi alma lo pide; la tuya también. Y con todo, ya verás cómo ni te mueves ni me muevo.»

Y la enferma del 32 oía en la tos del 36 algo muy semejante a lo que el 36 deseaba y pensaba:

«Sí, allá voy; a mí me toca; es natural. Soy un enfermo, pero soy un galán, un caballero; sé mi deber; allá voy. Verás qué delicioso es, entre lágrimas, con perspectiva de muerte, ese amor que tú sólo conoces por libros y conjeturas. Allá voy, allá voy... si me deja la tos... ¡esta tos!... ¡Ayúdame, ampárame, consuélame! Tu mano sobre mi pecho, tu voz en mi oído, tu mirada en mis ojos...»

The idea of the couple, of the love, of the duet, arose earlier in the number 32 than in the 36.

The fever suggested in the governess a certain erotic mysticism; erotic! This is not the word. Eros! The healthy pagan love, what did that have here to do with it? But in the end, it was love, the love of an old marriage, peaceful, company in pain, in the solitude of the world. So that what in effect the cough of the 32 wanted to say to the cough of the 36 was not very far from being the same that the one of the 36, delirious, was coming to guess.

'Are you young? I am also. Are you alone in the world. I also. Does death in solitude horrify you? Also me. If we might know each other! If we might love each other. I would be able to be your refuge, your comfort. Do you not know from my way of coughing that I am good, delicate, discreet, home-loving, that I would make of a precarious/uncertain life a nest of feather mild and soft in order for us to approach death together, thinking of something else, of affection? How alone you are! How alone I am! How I would care for you! How you would protect me! We are two stones that fall into the abyss, that collide once on going down, and say nothing to themselves, nor do they see each other, nor do they sympathize with each other..... Why does it have to be so? Why have we not to get up now, to unite our pain, to cry together? Perhaps from the union of two weeping, a smile might be borne. My soul begs it; yours also. And for all that, still you will see how neither you move nor I move.'

And the sick-woman the 32 heard in the cough of the one of the 36 something very similar to what the one of 36 desired and was thinking:

'Yes, there I go; it is up to me; that is natural. I am a sick-person, but I am a gallant-man, a gentleman; I know my duty; there I go. You will see how delightful it is, amongst tears, with the prospect of death, this love that you only know through books and conjectures. There I go, there I go .... If the cough lets me... this cough! Help me, protect me, comfort me! Your hand upon my chest, you voice in my ear, your look in my eyes.....'

Amaneció. En estos tiempos, ni siquiera los tísicos son consecuentes románticos. El número 36 despertó, olvidado del sueño, del dúo de la tos.

El número 32 acaso no lo olvidara; pero ¿qué iba a hacer? Era sentimental la pobre enferma, pero no era loca, no era necia. No pensó ni un momento en buscar realidad que correspondiera a la ilusión de una noche, al vago consuelo de aquella compañía de la tos nocturna. Ella, eso sí, se había ofrecido de buena fe; y aun despierta, a la luz del día, ratificaba su intención; hubiera consagrado el resto, miserable resto de su vida, a cuidar aquella tos de hombre... ¿Quién sería? ¿Cómo sería? ¡Bah! Como tantos otros príncipes rusos del país de los ensueños. Procurar verle... ¿para qué?

Volvió la noche. La del 32 no oyó toser. Por varias tristes señales pudo convencerse de que en el 36 ya no dormía nadie. Estaba vacío como el 34.

En efecto; el enfermo del 36, sin recordar que el cambiar de postura sólo es cambiar de dolor, había huido de aquella fonda, en la cual había padecido tanto... como en las demás. A los pocos días dejaba también el pueblo. No paró hasta Panticosa, donde tuvo la última posada. No se sabe que jamás hubiera vuelto a acordarse del dúo de la tos.

La mujer vivió más: dos o tres años. Murió en un hospital, que prefirió a la fonda; murió entre Hermanas de la Caridad, que algo la consolaron en la hora terrible. La buena psicología nos hace conjeturar que alguna noche, en sus tristes insomnios, echó de menos el dúo de la tos; pero no sería en los últimos momentos, que son tan solemnes. O acaso sí.

Dawn broke. At these times, not even the consumptives are consistent romantics. The number 36 awoke, the dream forgotten, of the duet of the cough.

The number 32 perhaps might not forget it; but what was she going to do? She was sentimental the poor sick-woman, but she was not mad, she was not foolish. She did not think for a moment of looking for a reality that might correspond with the illusion/dream of a night, to the vague comfort of that company of the nocturnal cough. She, this yes, had offered herself in good faith; and even awake, in the light of day, ratified her intention; she would have consecrated the rest, the miserable rest of her life, to care for that man's cough..... Who would he be? How would he be? Bah! Like so many other Russian princes of the country of the dreams. To try to see him.... for what?

The night returned. The one of the 32 did not hear coughing. Through various sad signs she was able to convince herself that in the 36 now no-one was sleeping. It was as empty as the 34.

Indeed; the sick-man of the 36, without remembering that the changing of position is only the changing of the pain, had fled from that inn, in which he had suffered so much...as in the others. After a few days he also left the town. He did not stop until Panticosa (town in Spanish Pyrenees) where he had his last shelter. It is not known if he might ever again have remembered duet of the cough.

The woman lived more; two or three years. She died in a hospital that she preferred to the inn. She died among the Sisters of Charity, who consoled her somewhat at the terrible hour. Good psychology makes us conjecture that some night, in her sad sleeplessness, she missed the duet of the cough; but it would not be in the last moments, that are so solemn. Or perhaps yes.

10. El Premio Gordo

Allá en tiempo de Godoy, el caudal de los Torres-nobles de Fuencar se contaba entre los más saneados y poderosos de la monarquía española.

Fueron mermando sus rentas las vicisitudes políticas y otros contratiempos, y la conducta del último marqués de Torres-nobles -- calaverón, despilfarrado que dio mucho que hablar en la corte -- acabó de desbaratarlas.

Próximo ya a los sesenta años, el marqués de Torres-nobles adoptó la resolución de retirarse a su hacienda de Fuencar, única propiedad que no tenía hipotecada. Allí se dedicó exclusivamete a cuidar de su cuerpo, no menos arruinado que su casa; y como Fuencar le producía aún lo bastante para gozar de un mediano desahogo, organizó su servicio de modo que ninguna comodidad le faltase.

Tuvo un capellán que amén de decirle la misa los domingos y fiestas de guardar, le hacia la partida de brisca, burro y dosillo -- tales sencilleces divertían mucho al ex-conquistador -- y le leía y comentaba los periódicos políticos más reaccionarios; un mayordomo o capataz que dirigía hábilmente las faenas agrícolas ; un cochero obeso y flemático que gobernaba solemnemente las dos mulas de su ancha carretela; un ama de llaves silenciosa, solícita, no tan moza que tentase ni tan vieja que diese asco; un ayuda de cámara traído de Madrid -- resto y reliquia de la mala vida pasada -- convertido ahora a la buena como su amo, y discreto y puntual; y por último, una cocinera limpia como el oro, con primorosas manos para todos los guisos de aquella antigua cocina nacional, que satisfacía el estómago sin irritarlo y lisonjeaba el paladar sin pervertirlo.

Con ruedas tan excelentes, la casa del marqués funcionaba como un reloj bien arreglado, y el señor se regocijaba cada vez más de haber salido del golfo de Madrid a tomar puerto y carenarse en Fuencar.

10. The Big Prize

Back in the time of Godoy (a prime minister in Spain late 18th and early 19th Century), the fortune of the Torres-nobles de Fuencar was counted amongst the most unencumbered (lit: drained/made clean) and mighty of the Spanish Monarchy.

The political difficulties and other setbacks were diminishing its income, and the conduct of the final Marques of Torres-nobles, -- a dissipated, wasteful man who gave much to talk about in the court -- finished the spoiling of them.

Close now to seventy years, the Marques of Torres-nobles adopted the resolution of retiring to his estate in Fuencar; the only property that he did not have mortgaged. There he devoted himself exclusively to care of his body, no less ruined than his house; and as Fuencar still produced for him enough in order to enjoy a moderate ease, he organised his servants so that no convenience should he lack.

He had a chaplain who besides saying mass for him on Sundays and obligatory feasts (i.e. holy days), played with him a game of brisca, burro and dosillo (Spanish card games) -- such simple things much amused the ex-conquistador (also: lady-killer) -- and read to him and commented on the most reactionary political newspapers; a steward or foreman who directed skilfully the agricultural works; a coachman obese and phlegmatic, who managed solemnly the two mules of his wide coach; a housekeeper quiet, caring, not so young that she should tempt, nor so old that she should disgust; a valet brought from Madrid -- all that remained of the past bad life -- converted now to the good (life) like his master, and discreet and punctual; and lastly a cook good (lit: clean) as gold, with skilful hands for all the casseroles-dishes of that old national cuisine that satisfied the stomach without irritating it and flattered the palate without perverting it.

With wheels so excellent, the house of the Marques functioned like a watch well regulated, and the lord rejoiced more each time of having left the gulf of Madrid to take port and repair himself (lit: to careen himself) in Fuencar.

Su salud se restablecía; el sueño, la digestión y demás funciones necesarias al bienestar de esta pobre túnica perecedera que sirve de cárcel al espíritu, se regularizaban, y en pocos meses el marqués de Torres-nobles echó carnes sin perder agilidad, enderezó algo el espinazo, y su sano aliento indicó que ya la feroz úlcera no le roía el estómago.

Si el marqués vivía bien, no lo pasaban mal tampoco sus servidores. Para que no le dejasen, les pagaba mejores sueldos que nadie en la provincia, y además los obsequiaba a veces con regalos y mimos. Asi andaban ellos de contentos: poco trabajo, y ese metódico e invariable; salario crecido, y de cuando en cuando sorpresitas del dadivoso marqués.

El mes de Diciembre del año antepasado, hizo más frío de lo justo, y la dehesa y término de Fuencar se envolvieron en un manto de nieve como de una cuarta de grueso. Huyendo de la soledad de su gran despacho, bajó el marqués de noche a la cocina del cortijo, y buscando, por instinto de sociabilidad invencible, la compañía del hombre, se arrimó al hogar, calentó la palma de las manos, castañeteando los dedos, y hasta se rió de los cuentos que, con chuscada/drollery andaluza, referían el capataz y el pastor, y reparó que la cocinera tenía muy buenos ojos. Entre otras conversaciones más o menos rústicas que le divirtieron, oyó que todos sus criados proyectaban asociarse para echar un décimo a la lotería de Navidad.

Al día siguiente, muy temprano, el marqués despachaba un propio a la ciudad próxima, y anochecía cuando el bondadoso señor penetró en la cocina blandiendo unos papeles, y anunciando a sus domésticos, con suma benignidad, que había cumplido sus deseos, tomando un billete del sorteo inmediato, billete en el cual les regalaba dos décimos, quedándose él con ocho, por tentar también la suerte.

Al oir tal, hubo en la cocina una explosión de alegría, con vivas y bendiciones hiperbólicas.

His health re-established/restored itself; his sleep, his digestion and other functions necessary to the well-being of this poor perishable tunic that serves as prison of the spirit, became regular, and in a few months the Marques of Torres-nobles put on flesh without losing agility, straightened somewhat his spine, and his healthy breath indicated that the ferocious ulcer did not now gnaw his stomach.

If the Marques lived well, his servants did not do badly either. In order that they should not leave him, he paid them better salaries than anyone in the province, and in addition he treated them at times with presents and pamperings. So they went on happily: little work, and that methodical and unvarying; a large salary and from time to time little surprises from the generous Marques.

The month of December of the year before last was colder than normal, and the grounds and district of Fuencar covered themselves in a cloak/mantle of snow something like a palm's span deep. Fleeing from the solitude of his big office/study, the Marques went down at night to the kitchen of the country-house, and seeking by the instinct of invincible sociability, the company of man, he drew close to the hearth, warmed his hands, cracking his fingers, and even laughed at the stories that, with andalucian wit, the steward and the clergyman (n.b. not the chaplain) related, and observed that the cook had very attractive (good) eyes. Amongst other conversations, more or less rustic that amused him, he heard that all his servants planned to join together to take a tenth share in a lottery ticket in the Christmas lottery.

The next day very early, the Marques sent a messenger to the nearby city, and night was failing when the good-natured lord entered in the kitchen flourishing some papers, and announcing to his servants, with great kindness, that he had fulfilled their desires, taking a ticket for the next lottery-draw, a ticket in which he gave them two tenths, remaining himself with eight, so as to try his luck also.

On hearing this, there was in the kitchen an explosion of happiness, with hurrahs and exaggerated blessings.

143

Sólo el pastor, viejo cano, zumbón y sentencioso, meneó la cabeza, afirmando que el que echaba con señores «espantaba la suerte», de lo cual le pesó tanto al marqués, que condenó al pastor a no llevar ni un real en los décimos consabidos.

Aquella noche el marqués no durmió tan a pierna suelta como solía desde que Fuencar le cobijaba; le desvelaron algunos pensamientos de esos que sólo mortifican a los solterones. No le había gustado pizca la avidez con que sus criados hablaban del dinero que podía caerles.

— ¡Esa gente —se decía el marqués — no aguardaría sino a llenar la bolsa para plantarme! ¡Y qué planes los suyos! ¡Celedonio -- el cochero -- habló de poner taberna... para beberse el vino sin duda! ¡Pues la pazguata de doña Rita -- era el ama de llaves -- no sueña con establecer una casa de huéspedes! Digo, y lo que es Jacinto -- era el ayuda de cámara -- bien se calló, pero miraba con el rabo del ojo a esa Pepa -- la cocinera -- que, vamos, tiene su sal ... Juraría que proyectan casarse. ¡Bah! -- al exclamar ¡bah! el marqués de Torres-nobles dio una vuelta en la cama y se arropó mejor, porque se le colaba el frío por la nuca --; en resumidas cuentas, ¿qué me importa todo ello? El premio gordo no nos ha de caer y así... tendrán que aguardarse por las mandas que yo les deje! Y a poco rato el buen señor roncaba.

Dos días después se celebraba el sorteo, y Jacinto, que era muy listo, se las compuso de modo que su amo tuviese que enviarle a la ciudad en busca de no sé qué provisiones u objetos indispensables. La noche caía, nevaba a más y mejor, y Jacinto aún no había vuelto, a pesar de salir muy de madrugada.

Estaban los criados reunidos en la cocina, como siempre, cuando sintieron las opacas pisadas del caballo sobre la nieve fresca, y un hombre, en quien reconocieron a su compañero Jacinto, entró como una bomba. Estaba pálido, temblón y demudado, y con ahogada voz acertó a pronunciar:
—¡ El premio gordo !!!

Only the clergyman, a grey-haired old man, jocose and sententious, shook his head, asserting that he who took his chance with lords, "frightened the luck", with which he annoyed the Marques so much, that he condemned the clergyman not to take even a 'real' (an old coin) of the above-mentioned tenths.

That night the Marques did not sleep so soundly (lit: leg loose) as he was used to since Fuencar sheltered him; some thoughts, of the type that only torment confirmed bachelors, kept him awake. He had not liked a bit the greediness with which his servants were talking of the money that could come (fall) to them.

"These people" the Marques said to himself, "would not wait except to fill their pocket in order to walk out on me. And their plans! Celedonio -- the coachman -- talked of establishing a tavern...in order to drink up the wine without doubt! Well the simple Doña Rita -- she was the house keeper -- does not dream of establishing a guest house! Mark my words (lit: I say), and that Jacinto -- who was the valet -- really he kept quiet, but he was looking with the corner of his eye at that Pepa -- the cook -- who, come on, has her charm (also: salt)..... I would swear that they plan to marry. Bah!" -- on exclaiming bah! the Marques turned in the bed and covered himself better, because the cold was creeping in by his neck —" to sum it all up, what does all this matter to me? The big prize does not have to come (lit: fall) to us and so....... they will have to wait for the bequests that I may leave them!" And in a little while the good lord was snoring.

Two days later the lottery took place, and Jacinto who was very clever, arranged matters in a way that his master should have to send him to the city in search of I know not what provisions or indispensable objects. Night fell, it was snowing more and heavier, and Jacinto still had not returned, despite leaving very early in the morning.

The servants were gathered in the kitchen, as usual, when they sensed the dull footsteps of the horse upon the fresh snow, and a man in whom they recognised their companion Jacinto, entered like a bombshell. He was pale, trembling and changed, and with a choked voice managed to pronounce:

"The big prize!!!"

Se hallaba a la sazón el marqués en su despacho, y, las piernas arrebujadas en tupida manta, chupaba un habano, mientras el capellán le leía la política menuda de El Siglo Futuro. De pronto, suspendiendo la lectura, ambos prestaron oído al estrépito que venía de la cocina. Les pareció al principio que los criados disputaban, pero a los diez segundos de atender se convencieron de que no eran sino voces de júbilo, tan desentonadas y delirantes, que el marqués, amostazado y teniendo por comprometida su dignidad, despachó al capellán a informarse de lo que ocurría e imponer silencio. No tardó tres minutos en regresar el enviado, y dejándose caer sobre el diván, pronunció con sofocado acento : «¡Me ahogo!» y se arrancó el alzacuello y se desgarró el chaleco por querer desabrocharlo... Corrió en su auxilio el marqués, y abanicándole el rostro con El Siglo Futuro, logró oir brotar de sus labios una frase entrecortada:

— El premio gordo... nos ha tocaaa...ado el prem...

A despecho de sus achaques, brincó hasta la cocina el marqués con no vista ligereza, y llegando al umbral, se detuvo atónito ante la extraña escena que allí se representaba. Celedonio y doña Rita bailaban no sé si el jaleo o la cachucha, con mil zapatetas, saltando como monigotes de saúco electrizados; Jacinto, abrazado a una silla, valsaba amorosamente; Pepa hería con el rabo de un cazo la sartén, haciendo desapacible música, y el capataz, tendido en el suelo, se revolcaba, gritando o, mejor dicho, aullando salvajemente: «¡Viva la Virgen!»

Apenas divisaron al marqués, aquellos locos se lanzaron a él con los brazos abiertos, y sin que fuese poderoso a evitarlo lo alzaron en volandas, y cantando y danzando y echándoselo unos a otros, como pelota de goma, lo pasearon por toda la cocina, hasta que, viéndole furioso, lo dejaron en el suelo.

The Marques found himself at the time in his office, and, his legs wrapped up in a thick blanket, puffed on a Havana-cigar, whilst the chaplain read to him the political trivia of The Future Century (a Spanish newspaper). Suddenly, suspending the reading, both listened (lent an ear) to the racket that was coming from the kitchen. It seemed to them at first that the servants were quarrelling, but after ten seconds of paying attention they were convinced that they were no other than voices of jubilation, so discordant and delirious, that the Marques, exasperated and having his dignity compromised, sent the chaplain to find out what was happening and to impose silence. The messenger did not delay three minutes in returning, and letting himself fall upon the sofa uttered (pronounced) with stifled accent: "I am suffocating" and he tore off his clerical-collar and ripped his jacket by wanting to unbutton it. The Marques ran to his assistance, and fanning his face with El Siglo Futuro, managed to hear burst from his lips a faltering sentence:

"We have won the big prize... (lit: the fat prize has touched us)"

In spite of his ailments, the Marques sprang towards the kitchen with unprecedented (unseen) lightness, and arriving at the threshold, stopped astonished before the strange scene that there presented itself. Celedonio and doña Rita were dancing I don't know if the jaleo (here: an Andalucian dance. Also: merry noise/racket) or the cachucha (a Spanish dance) with a thousand capers, jumping like electrified puppets of elder-wood; Jacinto embracing a chair, waltzed affectionately; Pepa was striking the frying pan with the handle of a ladle, making disagreeable music, and the steward, sprawling on the floor, was rolling over, shouting or, better said, howling savagely: "Long live the Virgin!"

Hardly did they catch sight of the Marques, those madmen threw themselves at him with their arms open, and without him being able to avoid it, they lifted him in the air, and singing and dancing and throwing him some to others, like a rubber ball, they carried him around all the kitchen, until, seeing him furious, they left him on the floor.

Y aun fue peor entonces, pues la cocinera Pepa, cogiéndole por el talle, quieras que no quieras le arrastró en vertiginoso galop, mientras el capataz, presentándole una bota de vino, se empeñaba en que probase un trago, asegurando que el licor era exquisito, cosa que él sabia a ciencia cierta, por haber trasegado a su estómago casi toda la sangre de la bota.

Así que pudo el marqués soltarse, se refugió en su habitación, con ánimo de desahogar su enojo, refiriendo al capellán la osadía de sus criados y platicando acerca del premio gordo.

Con gran sorpresa vio que el capellán salía envuelto en su capote y calándose el sombrero.

— ¿A dónde va Vd., don Calixto, hombre de Dios?— exclamó el marqués admirado.

Pues, con su licencia, don Calixto iba a Sevilla, a ver a su familia, a darle la alegre nueva, a cobrar en persona su parte de décimo, un confite de algunos miles de duros.

— ¡ Y me deja Vd. ahora ? ¿ Y la misa? y...

En esto asomó por la puerta su hocico agudo el ayuda de cámara. Si el señor marqués le daba permiso, él también se marcharía a recoger lo que le tocaba.

El marqués alzó la voz, diciendo que era preciso tener el diablo en el cuerpo para largarse a tales horas y con una cuarta de nieve, a lo cual respondieron unánimes don Calixto y Jacinto que a las doce pasaba el tren por la estación próxima, que hasta ella llegarían a pié o como pudiesen.

Y ya abría el marqués la boca para pronunciar: «Jacinto se quedará, porque me hace falta a mí,» cuando a su vez se encuadró en el marco de la puerta la rubicunda faz del cochero, que sin pedir autorización y con insolente regocijo venía a despedirse de su amo, porque él se largaba, ¡ea! a coger esos monises.

—¿Y las mulas? — vociferó el amo, — ¿Y el coche, quién lo guiará, vamos a ver?

And it was even worse then, for the cook, Pepa seizing him by the waist, like it or not like it, dragged him in a dizzy galop (a dance), whilst the steward, presenting him with a leather-bottle of wine (also: a boot), insisted that he should try a swig, assuring him that the liquor was exquisite, a thing that he knew with scientific certainty, by having decanted/poured into his stomach almost all the wine (lit: blood) of the wineskin.

As soon as the Marques was able to free himself, he took refuge in his room, with intention of relieving himself of his anger, relating to the chaplain the effrontery of his servants and chatting about the big prize.

With great surprise he saw that the chaplain was leaving wrapped up in his cloak and pulling down his hat.

"Where are you going Don Calixto, man of God?" exclaimed the Marques amazed.

Well, with his permission, Don Calixto was going to Seville, to see his family, to give them the happy news, to collect in person his part of the tenth, a sugar plum/sweetmeat of some thousands of duros (old Spanish currency).

"And you are leaving me now? And the mass? and..."

At this point the valet put his sharp snout through the door. If the Lord Marques gave him permission, he also would go off to pick up what was related to (lit: touched) him.

The Marques raised his voice, saying that it was necessary to have the devil in the body in order to go off at such hours and with snow a palm's length deep, to which Don Calixto and Jacinto replied together that at twelve the train passed through the nearby station, that up to there, they would arrive on foot or as they might be able.

And the Marques was just opening his mouth in order to utter: 'Jacinto will stay because he is necessary to me,' when in his turn the ruddy face of the coachman was inserted in the door frame, who without asking permission and with insolent joy came to take leave of his master, because he was going off, well! to get those monies.

"And the mules?" shouted the master, "And the coach, who will drive it, tell me?

— Quien vuecencia disponga;.. ¡Como yo no he de cochear más!... — respondió el auriga volviendo la espalda y dejando paso a doña Rita, que entró, no medrosa y pisando huevos como solía, sino toda despeinada, alborotada y risueña, agitando un grueso manojo de llaves, que entregó al marqués advirtiéndole:

— Sepa vuecencia que ésta es de la despensa... ésta del ropero... ésta del...

— ¡Del demonio que cargue con Vd. y con toda su casta, bruja del infierno! ¿Ahora quiere Vd. que yo saque el tocino y los garbanzos, eh? Váyase Vd. al...

No oyó doña Rita el final de la imprecación, porque salió pitando, y tras ella los demás interlocutores del marqués, y en pos de éstos el marqués mismo, que les siguió furioso al través de las habitaciones y estuvo a punto de alcanzarles en la cocina, sin que se atreviese a seguirles al patio por no arrostrar la glacial temperatura.

A la luz de la luna que argentaba el piso nevado, el marqués les vio alejarse: delante don Calixto, luego Celedonio y doña Rita de bracero, y por último Jacinto muy cosido a una silueta femenina que reconoció ser Pepa la cocinera... ¡Pepilla también!

Tendió el marqués la vista por la cocina abandonada, y vio el fuego del hogar que iba apagándose, y oyó una especie de ronquido animal... Al pié de la chimenea, muy esparrancado, el capataz dormía la mona.

A la mañana siguiente, el pastor, que no quiso "espantar la suerte", hizo para el marqués de Torres-nobles de Fuencar unas migas y un ajo molinero, y así pudo este noble señor comer caliente el primer día en que se despertó millonario.

Me parece excusado describir la suntuosa instalación del marqués en Madrid; lo que sí no debe omitirse es que tomó un cocinero cuyos guisos eran otros tantos poemas gastronómicos. Se cree que los primores de tan excelso artista, saboreados con excesiva delectación por el marqués, le produjeron la enfermedad que le llevó a la tumba.

"Whom your Excellency may arrange; ..... As I do not have to drive a coach anymore!" replied the charioteer, turning his back and letting pass Doña Rita, who entered, not timid and walking softly (lit: on eggs), as she used to, but with hair all dishevelled, rowdy and smiling, waving a bulky handful of keys, that she delivered to the Marques informing him:

"You may know your Excellency, that this is for the pantry, this for the wardrobe, this for the...."

"May the devil take on you and all your caste, witch of hell! Now you expect that I should take out the bacon and the chickpeas, eh? Go to the...."

Doña did not hear the end of the curse, because she left whistling, and after her the rest of the speakers to the Marques, and after these the Marques himself, who followed them furious through the rooms and was at the point of reaching them in the kitchen, without daring to follow them to the courtyard so as not to face the glacial temperature.

By the light of the moon that silvered the snow-covered ground, the Marques saw them go away: in front Don Calixto, then Celedonio and Doña Rita arm in arm, and finally Jacinot very close to a feminine silhouette, that he recognised as being Pepa the cook...... Pepilla also!

The Marques cast his sight over the abandoned kitchen, and saw the fire of the hearth that was going out, and heard a sort of animal snore. At the foot of the fireplace, very sprawled out, the steward was sleeping off the drunkenness (lit: the monkey).

On the next morning, the clergyman, who did not want "to frighten the luck", made for the Marques of Torres-nobles de Fuencar some fried crumbs and millers garlic (a Spanish dish also with tomatoes and green peppers), and so this noble lord was able to eat a hot meal the first day on which he awoke a millionaire.

It seems to me unnecessary to describe the sumptuous installation of the Marques in Madrid; what ought not to be omitted is that he took a cook whose stews were so many gastronomic poems. It is believed that the delicacies of such a sublime artist, relished (savoured) with excessive delight by the Marques, produced the illness that carried him to the tomb.

No obstante, yo creo que el susto y caída que dio cuando se desbocaron sus magníficos caballos ingleses, fue la verdadera causa de su fallecimiento, ocurrido a poco de habitar el palacio que amuebló en la calle de Alcalá.

Abierto el testamento del marqués, se vío que dejaba por heredero al pastor de Fuencar.

None-the-less, I believe that the fright and fall that he took when his magnificent English horses bolted, was the true cause of his death, which occurred a little after he came to live in the palace that he furnished in the street of Alcalá.

The will of the Marques opened, it was seen that he left as heir the clergyman of Fuencar.

11. El Potro del Señor Cura

Muchos habrán conocido, como yo, al cura de Arbín --por donde era estimado y querido de todos-- y habrán tenido ocasión de admirar su carácter bondadoso y nobilísimo, la sencillez de sus costumbres y cierta inocencia de espíritu que solo otorga Dios a los que elige para sí. Habitaba en su casa rectoral a dos tiros de piedra del pueblo, servido por una criada vieja y un criado no menos añoso.

Había también un mastín, que nadie recordaba cuándo había sido cachorro, y un caballo que había entrado en su poder hacía más de veinte años. Como D. Pedro, que así se llamaba el cura, pasaba bien de los setenta, con razón podría decirse que aquella casa era un museo de antigüedades. Vamos a referir la historia del caballo, dejando para otra sazón la del mastín, por ser menos interesante.

Nadie le conocía en el pueblo sino por "el potro del señor cura". Pero como el lector comprenderá este no era más que un mote que por reír le habían puesto. El autor de la burla debía ser Juan de Manolín, que era en aquel tiempo el espíritu más humorístico y despreocupado con que contaba la parroquia. Su verdadero nombre era Pichón. Así le designaba su dueño, lo mismo que los criados.

Había sido tordo en otro tiempo; pero cuando yo le vi, todos los pelos negros se le habían caído o se habían trocado blancos. No tenía mala estampa; su condición, apacible; el paso medianamente saltón. Por eso el cura hacía años que no osaba ponerlo al trote y prefería salir media hora antes en sus excursiones a las parroquias inmediatas.

Sufrido, noble, seguro y conocedor como nadie de aquellos caminos, el Pichón reunía partes bastantes para ser estimado por su amo como una alhaja. La virtud sobresaliente de este precioso animal era, no obstante, la sobriedad.

11. The Colt of Señor Priest

Many, like me, will have known the priest of Arbínn -- where he was esteemed and loved by all -- and will have had occasion to admire his good-natured and noble character, the simplicity of his ways and a certain innocence of spirit that God only grants to those whom he selects for himself. He lived in his rectory (rectorial house) at two throws of a stone from the town, looked (served) after by an old servant (female) and by an old male-servant no less aged.

There was also a mastiff, that nobody remembered when it had been a puppy, and a horse that had come into his possession more than twenty years before. As Don Pedro, for so was the priest called, was well over seventy, with reason (rightly) would be able to say to himself, that the house was a museum of antiques. We are going to relate the story of the horse, leaving for another season/time that of the mastiff, for being less interesting.

Nobody knew it in the town but as "the colt of Señor Priest." But as the reader will understand this was no more than a nickname that for a laugh they had stuck/placed on him. The author of the jest must have been Juan de Manolín, who was at that time the most humorous and unconcerned spirit that the parish possessed (counted on). Its true name was Pichón. So his owner named him, the same as the servants.

It had been a dappled-grey in another time; but when I saw him, all the black hairs had fallen from him, or had changed/turned themselves white. It did not have a bad appearance; its disposition peaceable; its pace moderately jumpy/frisky. Because of this for many years the priest had not dared set it to the trot and preferred to leave half an hour early on his trips to the nearby parishes.

Long-suffering, noble, sure-footed and knowledgeable of those roads like no-one (else), Pichón brought together sufficient qualities in order to be esteemed by his owner as a jewel. The outstanding virtue of this precious animal was, nevertheless, sobriety.

Como la poca yerba que daba su prado la comía casi toda ella una vaca de leche que el cura poseía, el desgraciado Pichón se veía necesitado a vagar nueve meses del año por trochas y callejas viendo crecer la yerba, para comérsela mucho antes de ser talluda.

Como si no fuesen bastantes estas prendas, todavía el Pichón era poseedor de otra, muy estimable; una memoria prodigiosa. En cuanto el señor cura de Arbín se detenía una vez en cualquier casa de los contornos, al pasar de nuevo por allí el Pichón paraba en firme como invitándole a apearse. Claro está que tratándose de la casa de la hermana del párroco, que vivía en Felechosa, y de la del cura del Pino, con quien aquel tenía empeñada hacía muchos años una partida permanente de brisca, el caballo no solamente se paraba, sino que iba derecho a la cuadra.

Mas el Pichón, sin motivo alguno razonable, tenía muchos enemigos en el pueblo, unos declarados, otros encubiertos. Los cuales, no hallando sitio para combatirle en lucha franca, le hacían una guerra sorda e insidiosa: le atacaban por la vejez. ¡Como si no hubiéramos todos de llegar a ella bajo pena de la vida! Principiaron por darle el apodo burlesco de "potro". Bien sabía el Pichón que no lo era; ni soñaba con echárselas de tal.

No satisfechos con apodarle, sus contrarios le levantaban falsos testimonios. Decían que una vez, yendo de Lena a Cabañaquinta, se había dormido en el camino llevando al cura encima y que fue necesario que un arriero le despertase a palos. ¡Pura calumnia! Lo que había sucedido es que en casa del cura de Llanolatabla, donde su amo había estado cerca de siete horas, no le habían dado una brizna de yerba y, naturalmente, la debilidad le hizo caer.

Asimismo los vecinos chistosos, y muchos también que no lo eran, se autorizaban chanzas de mal género en contra suya.

As a milk cow that the priest possessed ate almost all the little grass that his meadow gave, the unfortunate Pichón saw (found) himself obliged to wander nine months of the year through by-ways and lanes seeing the grass come up, in order to eat it long before being full-grown.

As if these natural-gifts were not enough, Pichón was even possessor of another, very estimable/valuable: a prodigious memory. Whenever the Señor Priest of Arbín stopped a single time in whatever house of the surrounding areas, on passing by there again Pichón would stop resolutely as if inviting him to dismount. Of course in relation to the house of the sister of the parish-priest, who lived in Felechosa, and that of the priest of Pino, with whom for many years he had engaged in a permanent game of brisca (Spanish card game similar to whist), the horse not only stopped, but went directly to the stable.

But Pichón, without any reasonable motive, had many enemies in the town, some declared/open, others hidden. Such persons, not finding a place in order to combat him in open battle, made a silent and insidious war against him: they attacked him for old age. As if we did not all of us have to arrive at it under the pain/sorrow of life! They began by giving him the comic nickname of "colt". Pichón knew well that he was not that; nor did he dream of presenting himself as such.

Not satisfied with nicknaming him, his opponents bore false witness against him. They said that once, going from Lena to Cabañaquinta, he had gone to sleep on the road carrying the priest on his back and that it was necessary that a mule-driver should wake him up with blows (with a stick). Pure calumny! What had happened is that in the house of the priest of Llanolatabla, where his master had been nearly seven hours, they had not given him a scrap of grass and, naturally, the weakness made him fall.

In the same way the witty neighbours, and many also who were not (i.e. not witty), allowed themselves jokes of poor taste against him.

Con lo cual D. Pedro, a pesar de su paciencia bien reconocida, llegaba en ocasiones a ponerse irritadísimo.

"¡Cáscaras! ¿Qué les habrá hecho el pobre animal a estos zopencos para que tan mal le quieran?

El que más se ensañaba era Juan de Manolín. Jamás pasaba el cura a caballo por delante de su taberna que no saliese a la puerta a soltar algunas de sus habituales ocurrencias.

Los parroquianos, que también salían a la puerta, con otras agudezas, se morían de risa, y D. Pedro se marchaba amoscado y murmurando pestes.

Finalmente tan acosado se vio por la cantaleta de sus feligreses, en la que también tomaban parte sus compañeros los párrocos de los lugares más inmediatos, cuando se reunía con ellos en alguna fiesta, que resolvió deshacerse del caballo, aunque le costase un disgusto serio. No obstante cuando llegó la feria de la Ascensión, donde pensaba llevarlo, flaqueó y estuvo muy cerca de volverse atrás. Pero había ya soltado la especie delante de algunos vecinos. Toda la parroquia sabía su resolución y aplaudía. ¡ Qué dirían si al cabo se quedase otra vez con el Pichón!

Melancólico y acongojado, montó el cura en él una mañana, y paso entre paso, se plantó en Oviedo. Según se acercaba a la ciudad, le iban punzando más y más los remordimientos. Por vueltas que se diera al asunto, y aunque se presentasen numerosos ejemplos de este caso, la verdad es que no dejaba de ser una ingratitud vender al pobre Pichón después de veinte años de buenos servicios. ¡ Quién sabe a qué lo destinarían! Tal vez a una diligencia, quizá a morir inicuamente en una plaza de toros. ¡De todos modos, el martirio! La inocencia con que el rucio caminaba, sin recelo ni sospecha, causaba en su amo una impresión de vergüenza, que no era poderoso en reprimir.

With which Don Pedro, in spite of his well-recognised patience, ended-up on occasions getting himself very exasperated.

"Good grief! (lit: shell/rind) What will the poor animal have done to these blockheads in order that they should so dislike him?"

He who most vented his cruelty was Juan de Manolín. Never did the priest pass on horseback in front of his tavern, but that he might not come out to the door to let loose some of his usual funny remarks.

The customers, who also would come out to the door, with other witticisms, would die of laughter, and Don Pedro would go away irritated and murmuring words of vexation (lit. pestes = plagues).

Finally he found (saw) himself so harassed by the derision of his parishioners, in which his companions/colleagues the parish priests of the most nearby places also took part, when he got together with them at some festivity, that he resolved to get rid of the horse, although it should cost him a serious annoyance. Nevertheless when the fair of the Ascension arrived, where he thought to take it, he weakened and was very close to backing out. But he had already come out with the subject in front of some neighbours. All the parish knew of his resolution and approved. What would they say if after all he should be left once more with Pinchón!

Sad and distressed, the priest mounted it one morning, and step by step, he arrived (planted himself down) in Oviedo. As he approached the city, feelings of remorse went on pricking him more and more. However the matter might be turned over (considered) and although numerous examples of this case/situation might present themselves, the truth is that it did not cease to be an ingratitude to sell the poor Pinchón after twenty years of good service. Who knows to what they would send it! Perhaps to a stage-coach, perhaps to die unjustly in a bull ring. At all events, the martyrdom! The innocence with which the grey-horse walked, without apprehension or suspicion, caused in his master an impression of shame, that he was not powerful (enough) to repress.

En la feria el ganado andaba muy barato. El Pichón era tan viejo que nadie le quería. Sólo un chalán ofreció por él quince duros. El cura lo soltó al fin en este precio por temor a la burla del vecindario si se presentaba con él nuevamente en Arbín. Luego que lo hubo perdido de vista, quedó más tranquilo, porque la presencia del cuadrúpedo mucho le hacía padecer. Tomó el tren para el pueblo, y cuando llegó tuvo el disgusto de recibir enhorabuenas por lo que él secretamente calificaba de mala acción. A los pocos días, sin embargo, se había olvidado enteramente del caballo.

Pero sin duda necesitaba otro. Aunque disfrutaba de buena salud y tenía, gracias a Dios, las piernas recias, algunas parroquias estaban muy lejanas, y no era cosa de andar pidiendo todos los días la yegua a Juan de Manolín o el macho a Cosme el molinero. Por consejo de estos y otros feligreses entendidos decidió a no aguardar la feria de Todos los Santos en Oviedo y buscar montura en la de San Pedro de Boñar, donde acudía casi todo el ganado caballar de la provincia de León.

Dicho y hecho. Cuando llegó la época, aprovechando la mula de un arriero amigo que iba a León con su recua, tomó la derrota de la villa de Boñar por el puerto de San Isidro. Allí sucedía lo contrario que en Oviedo. Las bestias estaban caras. Menos de cuarenta duros no había modo de mercar caballería que sirviese. En cuarenta y tres y el correspondiente alboroque, se hizo dueño nuestro cura de un caballo alazán tostado, no muy vivo de genio, pero seguro y firme, que no había quien le semejase en toda la ribera del Esla, ni aún en la del Orbigo, al decir de los tratantes que se lo vendían. Y así debía de ser, porque D. Pedro recordaba aquel refrán castellano:"alazán tostado, antes muerto que cansado".

Caballero en él, dio otra vez la vuelta para su pueblo, pasando por Lillo e Isoba y atravesando las abruptas angosturas de San Isidro. Caminaba alegre y satisfecho de su compra, porque el animal sufría bien aquellas cuestas agrias, y sobre todo no se espantaba, cosa que era la que más temía.

At the fair the livestock was going very cheap. Pinchón was so old that nobody wanted him. A horse-dealer only offered fifteen duros for him. The priest let it go at last at this price for fear of the mockery of the neighbourhood if he presented himself with it again in Arbín. As soon as he had lost him from sight, he became more tranquil, because the presence of the quadruped made him suffer a lot. He took the train to the town, and when he arrived he had the displeasure of receiving congratulations for what he secretly regarded/rated as a bad act. After a few days, however, he had forgotten entirely about the horse.

But without doubt he needed another. Although he enjoyed good health, and had, thanks to God, strong legs, some parishes were very far, and it was not the thing (not proper) to go everyday requesting Juan de Manolín for the mare or Cosme the miller for the mule. On the advice of these and other well-informed parishioners he decided not to await the fair of All Saints in Oviedo and to look for a mount (riding-horse) in the one of San Pedro de Boñar, where almost all the horse livestock of the province of León went.

Said and done. When the time arrived, making use of the mule of a mule-driver friend who was going to León with his mule-train, he took the track for the little town of Boñar through the mountain-pass of San Isidro. The opposite of what happened in Oviedo occurred there. The beasts were expensive. For less than forty duros there was no way of buying a riding-horse that might serve/be of use. For forty-three and the corresponding treat (i.e. to seal the bargain), our priest made himself owner of a dark sorrel-horse, not very lively spirited, but sure footed and firm, that there was not another that might resemble it on all the banks of the Esla, or even on those of the Orbigo, according to the dealers who sold it to him. And so it ought to be, because Don Pedro remembered that Castilian saying: "Dark sorrel-horse, dead before tired."

Mounted on it, he started again back to his town, passing by Lillo and Isoba and crossing the rugged passes of San Isidro. He journeyed along happy and satisfied with his purchase, because the animal endured well those rough slopes, and above all was not frightened, the thing that was what he most feared.

Mas al llegar a Felechosa, le sucedió un caso que le maravilló en extremo. Y fue que, tratando de apearse un instante, en casa de su hermana, el caballo se fue por si solo derechura a la cuadra.

-Vaya el olfato de este animal- exclamó el cura entrando en la casa.

¡Y el gozo le salía por los poros!

Se detuvo allí más de la cuenta y echándole de lo que faltaba, comprendió que era imposible parar en el Pino a jugar una brisca con el cura. Mas al llegar aquí experimentó más y mayor asombro. El caballo, a pesar de los tirones de cabezon se resistió a seguir por el camino real y, desviándose un poquito, se dirigió a casa del párroco y entró en la cuadra.

- Prodigiosos, cáscaras, prodigiosos- murmuró el cura abriendo mucho los ojos. Y en gracia de aquel instinto admirable no le hostigó más y se bajó a saludar a su amigo. Cuando llegó al pueblo era ya noche cerrada, por lo cual no pudo ser visto y admirado de los vecinos el precioso e inteligente animal. Pero al día siguiente se personaron en el establo alguno de ellos, y después de visto, le reputaron por buen caballo y dieron a su amo mil plácemes por la compra.

- ¡Es un jaco de lo divino, señor cura! Ya tiene montura hasta que se muera.

El cura se mostrába alegre por las enorabuenas; pero el recuerdo del Pichón le impresionaba todavía malamente. Transcurrieron cinco o seis días sin que D. Pedro tuviese necesidad de montar su nuevo caballo, al cabo de los cuales mandó al criado que lo limpiase y enjaezase, pues pensaba ir a Mieres. El doméstico se le presentó a los pocos momentos diciéndole:

- ¿Sabe señor cura que el León -- así se llamaba el jaco -- tiene unas manchas blancas que no se pueden quitar?

But on arriving at Felechosa, there happened to him an event that astonished him exceedingly. And it was that, trying to dismount for a moment, at the house of his sister, the horse went by itself directly to the stable.

"Goodness, the sense of smell of this animal!" exclaimed the priest entering the house.

And the joy came out from his pores!

He stopped there longer than calculated and working out how much (time) was lacking, he understood that it was impossible to stop in Pino to play a (game of) brisca with the priest. But on arriving there he experienced more and greater surprize. The horse, in spite of the tugs of the noseband refused to keep on by the right road and turning off/deviating a little, directed itself to the house of the priest and entered into the stable.

"Marvellous, Good grief! (lit: shell/rind), prodigious," murmured the priest opening wide his eyes. And in consideration of that admirable instinct, he did not beat it more and he dismounted to greet his friend. When he arrived at the town it already was fully night, for which the precious and intelligent animal could not be seen and admired by the neighbours. But on the following day some of them appeared in person in the stable, and after viewing, they deemed it to be a good horse and gave its master a thousand congratulations for the purchase.

"It is an exquisite/divine nag, Señor Priest! Now you have a mount until you die."

The priest showed himself happy with the congratulations; but the recollection of Pichon still moved him badly. Five or six days elapsed without Don Pedro having the necessity of mounting his new horse, at the end of which he ordered the servant that he should clean it and saddle it, for he was thinking of going to Mieres. The servant presented himself after a few moments saying to him:

"Did you know Señor Priest that León -- so was called the nag -- has some white stains that are unable to be removed?

- Limpia bien, borrego, limpia bien; se habrá rozado con la pared.

Por más que hizo no logró que desaparecieran. Entonces el cura, enojado, le dijo:

- Convéncete, Manuel, de que ya no tienes puños. Vas a ver ahora cómo se marchan enseguida.

Y, despojándose de la sotana y echando hacia arriba las mangas de la camisa, tomó el cepillo y el rascador y él mismo se puso a limpiarlo. Mas sus esperanzas quedaron fallidas. Las manchas no sólo no desaparecían, sino que se iban haciendo cada vez mayores.

- A ver, trae agua caliente y jabón- dijo al fin sudoroso y despechado.

¡Aquí fue ella! El agua quedó teñida al instante de rojo, y las manchas blancas del caballo se extendieron de tal modo que casi le tapaban el cuerpo. En resumen, tanto fregaron por él que al cabo de media hora había desaparecido el alazán, quedando en su lugar un caballo blanco. Manuel se echó unos pasos atrás, y con la consternación pintada en el semblante, exclamó:

- Es el Pichón!

El cura quedó clavado en el suelo. En efecto, debajo de la capa de almagre, y otro mejunje asqueroso con que le habían disfrazado, se encontraba el viejo, el sufrido, el parco, el calumniado Pichón.

La noticia corrió como una chispa por el pueblo. Al poco rato una porción de gente se apiñaba delante de la rectoral contemplando entre risotadas y comentarios chistosos el "potro del señor cura", que el criado había sacado del establo. Cuando más divertídos estaban, apareció en el corredor D. Pedro, con el rostro torvo y enfurecido, y dijo:

- ¡Me está bien empleado, cáscaras, por haber hecho caso de unos zopencos como vosotros! .... ¡Al que vuelva a hablar de él una palabra, le rompo los huesos! cáscaras!.

Comprendiendo que le sobraba razón para incomodarse, los mirones no chistaron y se fueron hacia el pueblo.

"Clean well, stupid (lit: sheep), clean well; It will have rubbed against the wall.

However much he did, he did not manage to make them disappear. Then the priest, angry, said to him:

"You convince yourself, Manuel, indeed, that you have no fists. You are going to see now how they go away at once."

And stripping off his cassock and throwing up the sleeves of his shirt, he took the brush and the scraper and he himself set himself to clean it. But his hopes were disappointed. The stains not only did not disappear, but rather they went on becoming greater each moment.

"Let's see, bring hot water and soap," he said at last sweating and vexed.

Here it was! The water became dyed instantly with red and the white stains of the horse were extended in such a way that they almost covered its body. In short, they scrubbed over him so much that at the end of half an hour the sorrel horse had disappeared, leaving in its place a white horse. Manuel took some paces back, and with consternation painted in his face, exclaimed:

"Its Pinchón."

The priest was left stuck/nailed to the ground. In effect, beneath the cloak of red-ochre, and the other filthy concoction with which they had disguised it, was found the old, the long-suffering, the frugal, the slandered Pinchón.

The news ran like a spark through the town. In a short time a number of the people thronged in front of the rectory, contemplating between guffaws and amusing comments the 'colt of Señor Priest,' that the servant had taken out of the stable. When they were most amused, Don Pedro appeared in the passageway, with his face grim and furious, and said:

"It serves me right (lit: I am well used), good grief! (lit: shells/rinds), for having taken notice of some nitwits like you! He who again speaks a word of it, I break his bones! good grief!"

Understanding that there was more than enough reason for him to be annoyed, the onlookers did not utter a word and went off towards the town.

12. El Luis De Oro

I

La nevada que, bien á pesar mío, me había detenido en Valbreñeda de la Sierra, aunque continuaba cayendo todavía copiosamente, había perdido mucho en intensidad. Recuerdo que era la noche del 6 de Enero, y que, terminada la abundante cena, algunos haces de gavillas arrojados en el hogar, mantenían viva una llama que se retorcía y estiraba buscando salida por la empinada campana de la chimenea, mientras fuera se oían los ásperos bramidos del mal apaciguado temporal, haciendo coro al lúgubre aullar de algunos perros, que pedían á sus amos un rincón en torno de la lumbre, para orear sus mojadas pieles.

El octogenario abuelo, sentado más cerca que nadie del fuego, apretaba con la uña del pulgar la lumbre del cigarro; su hijo se entretenía en afilar la cuchilla de una hoz, haciéndola pasar acompasadamente por un trozo de pizarra; y mientras que su nuera colocaba simétricamente en los vasares, las pintadas fuentes de Talavera, el nietezuelo, rapaz que frisaría apenas en los siete abriles, manoseaba con sus dedos, agrietados por los sabañones, la cadena de mi reloj.

Yo, buscando medio de recompensar la generosa hospitalidad que se me había concedido, refería prolijamente á este la tradición de los Reyes Magos, instándole á que colocara uno de sus zuecos á la ventana, cuando de pronto el viejo, que no había perdido una sílaba de mi relato, dejando de chupar la colilla de su cigarro y enjugando con el palma de la mano una lágrima que se lo deslizaba por sus rugosas y tostadas mejillas, me interrumpió diciendo:

— Perdone V. pero tengo yo aquí, en los rincones más escondidos de mi magín, una historia tan triste de ese día, que sin poderlo remediar, cuando la recuerdo, se me caen de los ojos unos lagrimones tamaños como avellanas.

Y comprendiendo indudablemente mi curiosidad, se apresuró á añadir con melancólica cortesía:

166

12. The Gold Luis (an old French coin)

I

The snowfall that, quite in spite of myself, had detained me in Valbreñeda de la Sierra, although it continued falling still copiously, had lost much in intensity. I remember that it was the night of the 6th of January, and that, the abundant supper finished, some bundles with small bunches of twigs thrown on the hearth, kept alive a flame that curled and spread-out looking for a way out through the high bell shape (i.e. the flue) of the chimney, whilst outside were heard the harsh roars of the ill appeased storm, making a chorus to the mournful howling of some dogs, that begged their owners for a corner around the fire, in order to air/dry their wet skins/coats.

The octogenarian grandfather, seated nearer than anyone to the fire, pinched with the nail of his thumb the light of his cigar; his son occupied/entertained himself in sharpening the blade of a sickle making it pass rhythmically over a piece of slate; and whilst his daughter-in-law placed symmetrically on the kitchen shelves, the painted platters of Talavera (town in Toledo province known for its pottery), the little grandson, a lad who would hardly be approaching seven Aprils, handled with his fingers, chapped with chilblains, the chain of my watch.

I, looking for a means of rewarding the generous hospitality that had been granted to me, related long-windedly, to the latter (i.e. the grandson) the tradition of the Wise/Magi Kings, urging him that he should put one of his clogs at the window, when suddenly the old man, who had not lost a syllable of my story, ceasing to suck the stub of his cigar, and wiping with the palm of his hand a tear that slipped down his rough/wrinkled and tanned cheeks, interrupted me saying:

"Excuse me, but I have here, in the most hidden corners of my mind (also: imagination), a story so sad about this day, that without being able to remedy it, when I remember it, there fall from my eyes some big-tears as large as hazelnuts."

And undoubtedly understanding my curiosity, he hastened to add with melancholy courtesy:

— Ya que la noche es larga y á V. no le gusta recogerse pronto, si no le molesto, le contaré esa historia.

Dicho esto, hizo seña á su hijo para que echara en el hogar otro par de manojos de sarmientos, y después de arrellanarse en el escaño que ocupaba, comenzó de este modo su relación:-

II

—De Seguro, que por los libros y papeles impresos que habrá leído, sabe V. mejor que yo, que de niño los presencié, los amargos tragos que nos hicieron pasar los franceses cuando allá por el año de 8, se entraron en nuestra casa como Pedro por la suya.

Hacia fines del otoño de aquel año nos tocó de ver sus caras de herejes, y unas cuantas horas que los tuvimos en el pueblo bastaron para darnos á conocer sus mañas. Si le fuera á ir haciendo cuenta de los males que nos causaron, sería mi historia muy larga; pero para que se forme idea de ellos, sobra con que le diga que, al que mejor librado quedó, le hubiera valido más que los lobos se le hubieran comido el ganado y que el pedrisco le hubiera asolado las mieses.

Desde entonces, Dios nos haya perdonado la ojeriza que les cobramos, y sobre todo las tretas, no siempre de buena ley, de que nos valimos para concluir con los que se nos venían á las manos; pero, perdonados ó no, los únicos ratos de regocijo que teníamos en el pueblo, eran aquellos en que se sabía que el tío Cernejo había cazado un par de rezagados, oculto entre los breñales de la cañada, ó que la viuda del herrero había atrancado el pozo de su casa, echando de cabeza en él un sargento más largo que la esperanza de un pobre y más amojamado que el abadejo que come el señor cura por la Cuaresma.

Mi padre tenía tantos más motivos de aborrecimiento contra ellos; pues si á los otros les apenaba la pérdida de sus haciendas, taladas por acá y saqueadas por acullá;

168

"Since the night is long and as you do not want to retire to bed soon, if I do not annoy you, I will tell this story."

This said, he made a sign to his son in order that he should throw on to the hearth another couple of (pair of) handfuls of vine shoots, and after settling down on the bench that he occupied, began in this way his account: -

II

"For sure, by the books and printed papers that you will have read, you know better than I, who as a child witnessed them, about those hard times (lit: bitter draughts) that the French made us endure, when back there in the year 8, they came into our house *like Pedro into yours* (a saying = as if they owned it).

Towards the end of Autumn of that year it was our turn to see their heretic faces, and some few hours that we had them in the village were enough in order to reveal to us their evil tricks. If I were to go on giving you an account of the mischief they caused us, my story would be very long: but in order that you may form an idea of them, it is more than enough that I should tell you that, for the he who remained most free, it would have been much better for him, that the wolves should have eaten his cattle and that the hailstorm should have razed to the ground his ripe corn.

Since then, God may have pardoned us the grudge that we felt/gained towards them, and above all the tricks, not always legitimate, of which we took advantage in order to finish/do away with those that came in to our hands; but, pardoned or not, the only short-periods of rejoicing that we had in the village, were those in which it was known that Uncle/Old Cernejo had hunted a pair of stragglers, hidden among the scrub-land of the ravine, or that the widow of the blacksmith had blocked up the well of her house, throwing headfirst into it a sergeant longer than the hope of a poor-man (i.e. because a poor-man's hope goes on a long time) and more dried-up than the codfish that the Señor Priest eats for Lent.

My father had so many more motives for hatred against them; because if the loss of their estates, devastated here and plundered there, grieved the others;

169

él, á más de sus reses degolladas y de sus viñedos descuajados, lloraba con mayor aflicción aun la muerte de la santa mujer que me llevó en sus entrañas, y á quien cuentan, que quería más que á las niñas de sus ojos.

Con saber esto no le extrañará á V. que nadie en Valdebreñeda dudara que, á no ser por lo que mis seis años escasos le estorbaban, no hubiera aguardado á que los franceses vinieran á pagarle el daño que le habían hecho, y menos se ponía en tela de juicio, que gabacho que en sus manos cayera podía darse por tan muerto como su quinto abuelo.

Mi padre también lo creía así á puño cerrado; pero como en este mundo el que tiene choto no sabe si cría buey ó toro, cuando menos lo esperaba se atolló el carro, y al volcarse dio con todos sus propósitos en los baches del camino

Tal noche como hoy, la del 6 de Enero del año 9 -- día en que, por cierto, se estuvieron oyendo hasta la caída de la tarde algunos disparos de fusilería -- habíamos estado cenando, mi padre y yo, en este mismo sitio, y terminada la cena, él se quedó cejijunto y caviloso acariciando la escopeta de dos cañones que junto á sí tenía, mientras que yo, inquieto, como si estuviese sentado sobre ortigas, no hacía más que mirar con el rabillo del ojo, unas veces mis zuecos puestos á secar junto á las brasas, y otras esa ventana que, lo mismo que ahora, se estremecía, azotada por la espesa nevada que estaba cayendo.

Quién me hubiera contado la conseja, que hace poco refería usted á mi nieto, no sabré decírselo; pero lo que recuerdo, lo mismo que si me pasara ahora, es que -- como el nombre de nuestro legítimo monarca andaba por aquellos días tan repetido por todos -- creía como artículo de fe, que aquella noche, el que había de venir á dejar en mis almadreñas unos cuantos cuartos, era el mismísimo don Fernando VII, rey por la gracia de Dios.

he, in addition to his cattle beheaded and his vineyards wiped out, wept with greater affliction for the death of the saintly woman who carried me in her womb, and of whom they relate, that he loved more than the apple of his eyes (lit: the little girls of...)

Knowing this it will not surprise you that no-one in Valdebreñeda would doubt that, were it not because my scarcely six years (of age) impeded him, he would not have waited for the French to come to pay him for the damage that they had done to him, and still less was it in doubt (poner en tela de juicio: to call in question, put in judgement), that any 'frenchy' who might fall into his hands was able to consider himself as dead as his fifth grandfather.

My father also believed this firmly (lit: as a closed fist): but as in this world he who has a sucking calf does not know if he is raising an ox or a bull (i.e. is he raising a beast for the plough or for the bullring), when least he expected it, the cart got stuck, and on getting overturned he found all his resolutions/intentions in the holes of the road.

Such a night as today, that of the 6th of January of the year 9 -- a day on which, by the way, until the end of the afternoon musket shots were being heard -- we had been having supper, my father and I, in this same place, and the supper over, he remained frowning and pondering, caressing the two barrel gun that he had next to himself, while I, uneasy, as if I were seated upon stinging-nettles, did not do more than look with the corner of my eye, sometimes at my wooden shoes put to dry next to the hot-coals, and at others at that window which, the same as now, was shaking, lashed by the thick snow that was falling.

Who might have related to me the advice, that a little while ago you recounted to my grandson, I would not be able to tell you (lit: will not know to ....); but what I remember, the same as if it were happening to me now, is that -- as the name of our legitimate monarch was in those days so repeated by all -- I believed as an article of faith, that that night, he who had to come to leave some money in my wooden shoes, was the very same Don Fernando VII, king by the grace of God.

Pensando así, y viendo á mi padre tan metido en sus cavilaciones, aceché la ocasión que me pareció más propicia, y tomando uno de mis zapatos, abrí la ventana y le coloqué en la parte de afuera.

Hecho esto me volví á mi puesto, y de allí á poco mi padre seguía dando unos suspiros capaces de romper una piedra, y yo unos ronquidos, que mal año si no se hubiera dicho que algún verraco se había salido de la cochiquera á hacernos compañía.

Del tiempo que estuviéramos así, no me pregunte usted nada, porque no sabré decírselo; pero ya debía ser muy tarde, cuando, de repente -- zarandeándome mi padre con la misma fuerza con que se sacude un olivo para hacer caer la aceituna -- me despertó, preguntándome muy quedo:

— ¿Has oído?

Yo, que maldito si sabía ni que estaba en el mundo, me restregué los ojos con los puños, pensando qué respondería; pero él, sin aguardar mi contestación, se fué á la ventana, y abriendo una rendija, tamaña como un pliego de papel puesto de canto, miró hacia fuera con unos ojos que, como los de los gatos, veían en las tinieblas.

— Cayó ratón en la jaula — murmuró — , y que caro le ha de salir el morder el queso.

Y diciendo esto, después de asegurarse de que la piedra de su escopeta estaba bien amartillada, volvió á la ventana que entonces abrió ya sin escrúpulos de par en par.

En aquel momento dos golpes secos y acompasados se oyeron en la puerta.

Yo, temblando de miedo, me agazapé detrás de mi padre; pero éste, sin apartarse de la reja, me dijo con tono que no daba lugar á réplicas:

— ¡ Abre!

Decir que yo no lo hice de muy buena gana, me parece cosa excusada ; pero como más que el peligro de afuera temía el de adentro, no tuve más remedio que hacer de tripas corazón y descorrer el cerrojo;

172

Thinking like this and seeing my father so absorbed in his reflections, I awaited the occasion that seemed to me most propitious, and taking one of my shoes, I opened the window and I placed it outside.

This done I returned to my place, and presently my father continued giving some sighs capable of breaking a stone, and I some snores, and a bad year (i.e. bad luck on us) if it might not have been said that some boar had come out of the pig sty to keep us company.

Of the time that we were like this, do not ask me anything, because I will not know how to tell you; but indeed it must have been very late when, suddenly, my father -- shaking me with the same force with which one shakes an olive tree in order to make the olive fall -- awakened me, asking me very softly:

"Have you heard?"

I, who damned little even knew that I was in the world, rubbed my eyes with my fists, thinking about what I would answer: but he without awaiting my reply, went to the window, and opening a crack, the size of a piece of paper placed edgeways, looked towards the outside with some eyes that, like those of the cats, saw in the darkness.

"A mouse fell in the cage/trap" he murmured "and biting the cheese has to turn out expensive for it."

And saying this, after assuring himself that the flintstone of his gun was well primed, he returned to the window which then, without scruples/hesitation he now opened wide.

At that moment two blows, sharp and measured were heard on the door.

I, trembling with fear, crouched down behind my father, but he without moving away from the iron grating (i.e. of the window) said to me with a tone that did not allow/give an opportunity for replies:

"Open it!"

To say that I did not do it with very good will, seems to me an excusable thing; but as more than the danger outside I feared the one inside, I had no choice/remedy but to pluck up my courage (lit: make heart from intestines) and pull back the bolt;

con lo cual me encontré frente á frente de un hombretón, más alto que un trinquete, arrebujado hasta las orejas en un capote cuyo color apenas se distinguía con la nieve, y cubierta la cabeza con un morrión que sujetaban á la barba unas carrilleras de latón.

Yo hubiera querido echar á correr; pero antes de darme tiempo á ello, el recién venido susurró en español, bastante chapurrado, aunque fácil de entender:

— Me muero de hambre y de frío. Un pedazo de pan, un rincón junto á la lumbre, y pagaré bien.

Entonces miré al sitio en que había quedado mi padre, y me le encontré examinando con atención el zueco que yo había dejado á la ventana, y en el que, sobre una espesa capa de nieve, relucía una moneda, redonda y brillante.

— ¿Quién ha puesto aquí esto? — gruño con aspereza, encarándose con el francés.

— Yo — respondió el militar, bajando tristemente la cabeza.

Él se apresuró á añadir:

— Perdóneme, pero ese zapato me ha traído á la memoria otro que indudablemente habrá á estas horas en la ventana de una casa que hay lejos, muy lejos de aquí, y que Dios sabe si volveré á ver. Ya que aquél espera inútilmente la ofrenda de los Reyes, no he querido que á éste le suceda lo mismo.

— ¿Es decir que tiene V. un hijo? — preguntó mi padre con menos rudeza.

— Como ése debe ser ahora — respondió el militar, queriendo comerme con unos ojazos de los que caían dos lagrimones.

Mi padre me miró de un modo particular, y arrojando con mal humor la escopeta, dijo con desabrimiento:

— Arrímese al fuego, que le voy á dar de cenar.

Y sin cruzar más palabra con el intruso le sirvió él mismo unas lonjas de tasajo y un jarro de vino, que aquél devoró con el ansia del que hace muchas horas que no ha comido.

with which I found myself face to face (lit: forehead to forehead) with a huge-man, taller than a foremast, wrapped up to the ears in a cloak, whose colour was barely distinguishable from the snow, and with the head covered with a helmet, that some straps of brass held fast at the chin.

I might have wanted to start to run; but before giving me time for it, the recent arrival whispered in Spanish, rather broken, although easy to understand:

"I am dying of hunger and cold. A piece of bread, a corner next to the fire, and I will pay well."

Then I looked at the place in which my father had remained, and I encountered him examining with attention the clog that I had left at the window, and in which, upon a thick layer of snow, shone a coin, round and brilliant.

"Who has put this here?" he growled with harshness, confronting the Frenchman.

"I" responded the soldier, lowering his head sadly.

He hastened to add:

"Forgive me, but this shoe has brought to my memory another that undoubtedly there will be, at this time, in the window of another house that there is far away, very far away from here, and that God knows if I will see again. Since that one awaits in vain the offering/gift of the Kings, I have not wanted that the same should happen to this one.

"That is to say that you have a child?" asked my father with less harshness.

"Like this one he must be now" responded the soldier, wanting to eat me up with some big eyes from which fell two very big tears.

My father looked at me in a particular way, and throwing down the gun with bad humour, said with surliness:

"Draw up to the fire, I am going to give you supper."

And without exchanging more words with the intruder he himself served him some slices of dried beef and a jug of wine, that he devoured with the desire/hunger of one who has not eaten for many hours.

175

Una vez que el militar terminó, aun permanecimos todos callados largo trecho, hasta que mi padre, viendo que la noche iba muy avanzada, dijo:

— Ahora yo indicaré el camino, y si quiere conservar el pellejo, procure que el alba le coja lejos de aquí. Dicen que no hay santo que haga dos milagros en un día.

Y levantándose bruscamente salió de la casa, seguido del francés, que, por cierto, no pudo conseguir darme un beso.

Cuando tornó al pueblo, los primeros resplandores de la mañana se dejaban ver. Yo -- que al verme solo, tiritaba de miedo recordando los erizados bigotes del inesperado huésped -- me acurruqué en un rincón; pero al sentir pasos en la calle corrí á abrir la puerta.

Antes de llegar á ella oí una voz que gritaba:

— ¡ Perro afrancesado ! ¡ Vete al infierno, que allí no te faltarán gabachos á quienes dar de cenar !

Después se oyó un tiro.

Cuando me atreví á salir mi padre estaba muerto.

III

Al terminar el anciano su relación, ninguno de nosotros se atrevió á desplegar los labios. Sólo él, desabrochándose pausadamente el chaleco, sacó de un bolsillo interior un papel ennegrecido que contenía una moneda. Era un luis de oro que llevaba la fecha de 1807. Tan luego como la hube examinado, la volvió á guardar, diciendo:

— Por muy malos tiempos he pasado después; pero antes me hubiera dejado cortar una mano que deshacerme de esta moneda. Cuando cierre el ojo, la mortaja que me pongan, me es indiferente; lo que quiero es que me dejen ese pedazo de metal aquí, sobre mi corazón.

Once the soldier finished, we all still remained silent a long while/stretch, until my father, seeing that the night was very late, said;

"Now I will show/indicate to you the road, and if you want to preserve your skin, make sure that the dawn finds you far from here. They say that there is no saint who may perform two miracles in one day."

And getting up abruptly he went out of the house, followed by the Frenchman, who, for certain, was not able to succeed in giving me a kiss.

When he returned to the village, the first brightness of the morning could be seen. I -- who on seeing myself alone, shivered with fear remembering the bristly moustaches of the unexpected guest -- curled myself up in a corner; but on sensing steps in the street I ran to open the door.

Before arriving at it I heard a voice that shouted:

"Pro-French dog! Go to hell, frenchies will not be lacking there for you to whom to give supper to!"

Afterwards a shot was heard.

When I dared to go out my father was dead.

III

Upon the old man ending his account, none of us dared to open our lips. Only he, unbuttoning slowly his waistcoat, took out of an interior pocket a blackened paper that contained a coin. It was a Luis de Oro that carried the date of 1807. As soon as I had examined it, he put it away again, saying:

"I have been through very bad times since then; but before getting rid of this coin I should rather have let myself cut off a hand. When my eye may close (i.e. when I die), the shroud that they may put me in, is indifferent to me; what I want is that they should leave this piece of metal here, upon my heart.

177

13. Cuesta Abajo

A la feria caminaban los dos: él, llevando de la cuerda a la pareja de bueyes rojos; ella, guiando con una varita de sauce, larga y flexible, a cinco rosados lechones. No se conocían: se viéron por primera vez cuando, al detenerse él a resollar y echar una copa en la taberna de la cima de la cuesta, ella le alcanzó y se paró a mirarle.

Y si decimos la verdad pura, a quien la zagala miraba no era al zagal, sino al ganado. ¡Vaya un par de bueyes, San Antón los bendiga! A la claridad del sol, que comenzaba a subir por los cielos, el pelaje rubio de los pacíficos animales relucía como el cobre bruñido de la calderilla nueva; de tan gordos, reventaban y el sudor les humedecía el anca robusta. Fatigados por las acometidas de alguna madrugadora mosca, se azotaban los flancos, lentamente, con la cola poblada.

La zagala, en un arranque de simpatía, abandonó a sus gorrinos, se llegó a uno de los castaños que sombreaban la carretera, sacó del seno la navajilla y cortó una rama, con la cual azotó los morros de los bueyes mosqueados. El zagal, entre tanto, corría tras un lechón que acababa de huir, asustado por los ladridos del mastín de la taberna.

-¿De dónde eres? -preguntó él, así que logró alcanzar al marranito. Antes que el nombre, en la aldea se inquiere la parroquia; luego, los padres.
-De Santa Gueda de Marbían. ¿Y tú?
-De Las Morlas.
-¿Cara a Areal?
-Sí, mujer. Soy el hijo del tío Santiago, el cohetero.

-Yo soy nieta de la tía Margarida de Leite.

-¡Por muchos años! -exclamó el zagal, lleno de cortesía rústica.
-¿Cómo te llamas, rapaza?
-Margaridiña.

178

13. Down Hill

The two walked to the fair; he, carrying the rope of a pair of reddish oxen; she, guiding five pink piglets, with a stick of willow, long and flexible. They did not know each other: they saw each other for the first time, when, upon him stopping to take a breath and to down a glass (i.e. a drink) in the tavern at the top of the hill, she caught up with and stopped to look at him.

And if we tell the plain/pure truth, that which the country-girl looked at was not the country-youth, but the cattle. What a pair of oxen, Saint Antón bless them! In the brightness of the sun, that was beginning to rise through the skies, the blond coat/skin of the peaceful animals shone like the polished copper of new small-coins; so fat, they were bursting and the sweat moistened their robust haunches. Fatigued by the attacks of some early rising fly, they beat/flicked their flanks, slowly, with their thick tail.

The country girl, on an impulse of sympathy, abandoned her piglets, she reached to one of the chestnut trees that shaded the roadway, took out from her breast pocket her little knife and cut a branch, with which she flicked the muzzles of the fly-pestered oxen. The country youth, meanwhile ran after a piglet that had just started to flee, frightened by the barks of the mastiff of the tavern.

"Where are you from?" he asked, as soon as he managed to reach the little pig. In the village, before the name, the parish is enquired about; then, the parents.

"From Santa Gueda de Marbían. And you?"

"From Las Morlas."

"Cara a Areal?"

"Yes, woman. I am the son of old (also: uncle) Santiago, the firework/rocket maker."

"I am the granddaughter of old (also: aunt) Margarida de Leite."

"For many years!" exclaimed the country lad, full of rustic courtesy.

"What are you called, lass?"

"Margaridiña."

179

-Yo, Esteban. Vas a la feria, mujer? -añadió, aunque comprendía que la pregunta estaba de más.

-Por sabido. A vender esta pobreza. Tú sí que llevas cosa guapa, rapaz. ¡Dos bueyes! Dios los libre de la mala envidia, amén.

El zagal, lisonjeado, acarició el testuz de los animales, murmurando enfáticamente:

-Mil y trescientas pesetas han de pagar por ellos los del barco inglés, y si no... pie ante pie tornan a casa. ¡Los bueyes del cohetero de Las Morlas!... ¡No se pasean otros mejores mozos por toda la Mariña!

-Mira no te den un susto en el camino cuando tornes con el dinero -indicó, solícita, Margarida-. Hay hombres muy pillos. Andan voces de una gavilla. Yo tornaré temprano, antes que se meta la noche. ¡La Virgen nos valga!

Esteban contempló un instante a la miedosa. Era una rapaza fornida, morena, como el pan de centeno; entre el tono melado de la tez resplandecían los dientes, semejantes a las blancas guijas, pulidas y cristalinas, que el mar arroja a la playa; los ojos, negros y dulces, maliciosos, reían siempre.

-Pues tornando yo contigo, asosiégate -exclamó Esteban, fanfarroneando-. Tengo mi buena navaja y mi buen revólver de seis tiros. Vengan dos, vengan cuatro ladrones, vengan, aunque sea un ciento. ¡Soy hombre para ellos! ¡Conmigo no pueden!

A su vez, la mocita miró al paladín. Esteban tenía el sombrero echado atrás, las manos, a lo jaque, en la faja, y un pitillo, acabado de encender, caído desgarbadamente sobre la comisura de los labios, bermejos como guindas. Su rostro fino, adamado, sin pelo de barba, contrastaba con sus alardes de valentón. La zagala acentuó la alegría de sus ojos; el zagal se puso colorado, y para disimular la timidez, dio al cigarro una feroz chupada.

Después se encogió de hombros. ¿Qué hacían parados allí? Cruzaba mucha gente en dirección a la feria.

"I, Esteban. Are you going to the fair, woman?" he added although he understood that the question was superfluous.

"Of course. To sell this poor lot. You yourself are taking a beautiful thing, lad. Two oxen! God keep them from evil envy, amen."

The country lad, flattered, stroked the crown of the head of the animals murmuring emphatically:

"One thousand and three hundred pesetas those of the English boat have to pay for them, and if not... foot before foot they return home. The oxen of the firework maker of Las Morlas! No other better fellows are around in all Marina!"

"Mind (lit: look) that they do not give you a fright on the road when you return with the money" pointed out Margarida, solicitous. "There are men very crooked. Stories of a gang (of thieves) are going around. I will return early, before night falls. The Virgin help us!"

Esteban contemplated/looked for a moment at the timid-girl. She was a robust lass, brown (complexion), like rye bread; amidst the honey coloured tone of her skin, gleamed her teeth, similar to the white pebbles, polished and crystalline, that the sea throws on to the shore; her eyes, black and sweet, mischievous, were always laughing.

"Well, returning I with you, calm yourself" exclaimed Esteban, boasting: "I have my good knife and my good revolver with six shots. Let two come, let four thieves come, let them come, although it be a hundred. I am a man for them! They can do nothing with me!"

In her turn, the young girl looked at the knight. Esteban had his hat thrown back, his hands, braggart fashion, in his sash/belt, and a cigarette, just lighted, hung carelessly upon the corner of his lips, reddish like cherries. His face refined, delicate/girlish, without a hair of beard, contrasted with his braggart boasts. The country-lass accentuated the merriment of her eyes; the country-lad blushed, and in order to conceal his shyness, he gave the cigarette a fierce puff.

Afterwards he shrugged his shoulders. What were they doing standing there? Many people were crossing in the direction of the fair.

181

Las mejores ventas se realizan temprano... ¡Hala! Y ella antecogió sus marranos, y él atirantó la cuerda y dio aguijada a sus bueyes. Ya no pensó ninguno de los dos en bobería ninguna, sino en su mercado, en su negocio. ¡Hala, hala!

Al revolver de la carretera, festoneada de olmos, descubrieron el pueblecito, tendido al borde del río -- pintoresco, bañado de luz, con sus tres torres de iglesia descollando sobre el caserío arcaico, irregular.

Ningún efecto les hizo la hermosa vista. Se apresuraron, porque ya debía de estar animándose la feria. Margarida pasaba las del Purgatorio cuidando de que no se perdiesen, entre el gentío, los cinco diminutos cerditos, adorables con sus sedas blancas nacientes sobre la tersa piel color rosa. Acabó por coger a dos bajo el brazo, sin atender a sus gruñidos rabiosos, cómicos, y ya solo por tres tuvo que velar, que era bastante.

Esteban, columbrando entre un grupo de labriegos y un remolino de ganado, las patillas de cerro del tratante inglés, se apresuró a acercarse con su magnífica pareja de cebones para empatársela a los otros vendedores. Así se apartaron, sin ceremonias, el zagal y la zagala.

Sacó él sus mil y trescientas y cuarenta pesetas y las ocultó en la faja; guardó ella entre la camisa y el corpiño unos duros, producto de la venta de los lechones. Fue él convidado al figón por el ingles de azules ojos y patillas casi blancas; devoró ella, sentada en el parapeto del puente, dos manzanas verdes y un zoquete de pan añejo.

A cosa de las tres y media de la tarde -- cuando el sol empezaba a declinar en aquella estación de otoño --, volvieron a encontrarse en el camino, y, sin decirse oste ni moste, acompasaron el paso, deseosos de regresar juntos. Margarida tenía miedo a la noche, a los borrachos que vuelven rifando y metiéndose con quien no se mete con ellos.

The best sales are achieved early. Hurry! And she gathered up her pigs, and he tightened the rope and gave a prod/goad to his oxen. Now neither of the two thought about any nonsense, but about their market, about their business. Hurry, hurry!

On making a turn in the road, garlanded/bordered with elm trees, they discovered the little town, lying on the banks of the river -- bathed in light, with its three church towers standing over the antiquated, irregular group of houses.

The beautiful view had no effect on them. They hurried because already the fair must be livening up. Margarida had great difficulty (went through Purgatory) taking care that, amongst the crowd, the five diminutive little piglets, adorable with their silky white hairs growing upon their smooth rose colour skin, should not lose themselves. She ended up taking two under her arm, without paying attention to their angry comical grunts, and now she only had to watch over three, which was enough.

Esteban, glimpsing, amongst a group of farmers and a moving-mass of cattle, the flax coloured side-whiskers of the English trader, hastened to approach with his magnificent pair of fattened-beasts in order to get it (i.e. the pair) on equal terms with the other sellers. So they separated, without ceremony, the country lad and the country girl.

He took away his one thousand three hundred and forty pesetas and hid them in his belt sash; she put away between her shirt and her bodice some duros, the proceeds of the sale of the piglets. He went to the cheap-café invited by the Englishman with blue eyes and almost white side-whiskers; she devoured, seated on the parapet-wall of the bridge, two green apples and a chunk of stale bread.

At about three thirty in the afternoon -- when the sun began to decline in that season of autumn -- they met up with each other again on the road, and, without saying a word to each other, they kept in step, anxious to return together. Margarida was fearful of the night, of the drunks who return quarrelling and interfering with those who do not interfere with them.

Esteban, sin saber por qué, iba más a gusto en compañía, ahora que no necesitaba aguijar ni tirar de la cuerda. El diálogo, al fin, brotó en lacónicos chispazos.

-¿Vendiste? -dijo la moza.
-Vendí.
-¿Te pagaron a gusto?
-Me pagaron lo que pedí, alabado Dios.
-¡Qué mano de cuartos, mi madre! ¿Y los bueyes? ¿Van para el barco?
   –Para comérselos allá en Inglaterra... ¡Bien mantenidos estarán los ingleses con esa carne rica! ¡Qué gordura, qué lomos!

Callaron. Anochecía. Se escuchó detrás un silbido, pisadas fuertes, y la zagala, alarmada, se arrimó al zagal. La alarma pasó pronto: eran dos chicuelos que andaban torpemente y soltaban palabrotas. Esteban rodeó los hombros de Margarida con su brazo derecho, para protegerla, y siguieron andando así, sin romper el silencio.

La carretera serpenteaba por la vertiente de un montecillo cubierto de pinos; a la izquierda, los esteros y los juncales inundados brillaban, reflejando, en rotos trazos, la faz de la luna. El camino, lejos de ser fatigoso, como a la ida, descendía suavemente.

Corría un fresco de gloria, un airecillo suave, más de primavera que de otoño; y el zagal y la zagala sentían algo muy hondo, que eran absolutamente incapaces de formular con palabras. Lo único que Esteban acertó a decir fue:

-¡Qué a gusto se va cuesta abajo, Margaridiña!
-Se anda solo el camino, Esteban -respondió ella, quedito.
-¡Todos los santos ayudan! -insistió él.

Esteban, without knowing why, went along with more pleasure in company now that he did not need to use the goad or to pull on the rope. The conversation, at last, broke out in laconic remarks (lit: sparks).

"Did you sell?" said the lass.

"I sold."

"Did they pay you to your liking?"

"They paid me what I asked, praise God."

"What a hand of money, my mother (i.e. good gracious)! And the oxen? Are they going to the boat?"

"In order to eat them over there in England... Well maintained/nourished will the English be with that rich meat! What fatness, what loins!"

They fell silent. It grew dark (it was nightfall). Behind was heard a whistle, heavy footsteps, and the country lass, alarmed, moved closer to the country lad. The alarm passed quickly; they were two little boys who walked clumsily and came out with coarse-words. Esteban encircled the shoulders of Margarida with his right arm in order to protect her, and they continued walking like that, without breaking the silence.

The roadway wound by the slope of a little hill covered with pine trees; to the left, the tidal-inlets and the flooded reed beds shone, reflecting, in broken outlines, the face of the moon. The road, far from being wearisome as on the going, descended gently.

A delightful cool breeze blew, a little soft air, more of spring than of autumn; and the country-lad and the country-lass felt something very deep, that they were absolutely incapable of expressing with words. The only thing that Esteban managed to say was:

"How pleasantly one goes downhill, Margaridiña!"

"One only walks the road, (i.e. you hardly know you are walking), Esteban," she replied very softly.

"All the saints help!" he insisted.

-Los pies llevan de suyo -confirmó ella.

Y siguieron dejándose ir, cuesta abajo, cuesta abajo, alumbrados por la luna, que ya no se copiaba en los esteros, sino en la sábana gris de la ría.

"Your feet carry you along themselves." (i.e. of their own accord) she confirmed.

And they continued letting themselves go on, down hill, down hill, illuminated by the moon, that now was not copied in the tidal-inlets, but in the grey sheet of the estuary.

14. Mastering Spanish with the Method of Re-translation

There are a number of different ways in which you can improve your Spanish with this book. You can read the English and then the Spanish version one after the other, steadily gaining in confidence and understanding of the Spanish as you do so. You can switch from one version to the other whenever you are uncertain as to a point; or you might concentrate on the Spanish version and try to grasp the meaning of the whole before turning to the English translation to check your attempt.

One particularly recommended method of developing your Spanish with this book is that of Re-Translation.

The Method Re-Translation
This is a way of learning foreign languages that has been found to be very successful. Briefly what you do is to take a text in the target foreign language, attempt to translate it into English, compare the attempt with a reliable English translation, and then try to translate the English back into the original foreign language version. Then you compare your attempted translation into the foreign language with the original foreign text. You note and correct any errors. The method is dynamic because it obliges you to use the foreign language as you return to the foreign text from the English and not just to read passively.

It will be evident that an English translation which is just an approximation, or which merely gives an idea or the spirit of what the foreign text is about would be of much less use to the student. For example, if there are unnecessary changes the verb tenses, or in the order of clauses or phrases, or if there are additional intrusive words added by the translator, or words left out, then the student is going to be in difficulties. With a poor translation (as regrettably is often the case with a translation which is simply literary) it may not be possible to check the translation attempt from one language against the other to see if it is correct.

The object with the English translations provided with this book has been throughout to avoid such literary translations and to provide a very close translation even at the expense sometimes having English that may be a little strained. Where the Spanish text uses a word for which there is a similar word (with much the same meaning in English) that word has generally been provided, for the translation or sometimes shown as an alternative alongside.

A further essential point with Re-Translation is that the student when in doubt, should immediately be able to check to see whether an attempted translation either way, but especially into the foreign language, is correct. It will not be helpful to learning the foreign language if an incorrect translation has been in the mind for a while, because this will be reinforcing errors in the memory. But of course, an immediate check can easily be achieved where there is a close translation and where the English and the foreign language face each other on the opposite pages of the book. Learning like this and being able, immediately, to check for errors against the reliable English translation and then checking the re-translation against the original foreign text is like having a speaker or teacher of the foreign language at your elbow to correct any errors

Suggestions for using the method of Re-Translation

1. Select a page from the intended text to be studied and if necessary read it briefly in English so that you know generally what is covered.

2. Read the Spanish text and see how far you can understand it. Where you are uncertain as to the meaning of a word or phrase pause a moment, and see whether you can work it out. Sometimes a short reflection will make the matter clear, and just thinking about the Spanish words will aid your memory of them for the future. If still uncertain then turn to the English version and see how it has been translated, before returning to the Spanish.

3. Repeat the reading of the Spanish text a few times before tackling the next stage.

4. You now reach the more challenging stage: the Re-Translation. Taking in turn each sentence in the English version, try to translate it back into the original Spanish. In part, you will be aided by your memory of what you have previously read in Spanish and this is very desirable, because it will assist you to learn intuitively with a natural flow based on usage.

5. After each attempted translation of a page into Spanish, re-read the Spanish again even if you feel confident that you got it right. In this way, you will avoid slipping into unnoticed and repeated errors. Moreover, you will more easily assimilate vocabulary and also start to establish Spanish speech patterns, due to the greater interaction with the Spanish version that you will experience.

6. Check, repeat and try again, but do not spend too long trying to become perfect. Move on to other pages, finish the book and return at a later date to repeat the procedure.

7. Whenever possible read the Spanish text aloud and also speak your re-translation into Spanish aloud. This is an aid to concentration and consequently to memory.

8 Writing down the translations can be an aid to concentration; but faster progress may be made just by speaking aloud as suggested.

Conclusion

I hope that you have enjoyed this book and that it has helped you to improve your Spanish. If so, please would you leave a positive review.

These are some of my other books: -

Dual Language Spanish Reader. Level: Beginner to Intermediate. Note: This book is based on similar principles to the First Spanish Reader, but it assumes that the student has reached just beyond beginner and is designed for the student who is progressing towards intermediate standard.

Spanish Verbs Wizard: Learn Spanish Verbs, Tenses, and Conjugations - Plus 101 Fully Conjugated Spanish Verbs - Plus The 1001 Most Useful Spanish Verbs. Everything you need to know to master the Spanish verb, together with the conjugations for all Spanish verbs.

How to learn - Spanish - French - German - Arabic - any foreign language successfully. Explains the best ways to learn any foreign language well as quickly as possible.

How to transform your Memory and Brain Power: a complete course for memory development, fast learning skills and speed-reading. Yes, you really can improve your memory, develop enhanced mental skills and become able to learn faster and more easily. In this book, you will discover how to do it. Also, you will find out how memory experts develop their remarkable powers, and how you can do the same.

How I Learned to Speak Spanish Fluently In Three Months Whilst still at school I had to learn Spanish in a very short time so that I could go on to higher education. I managed to achieve a good standard in Spanish in just three months and pass an essential exam. In this book I tell you just how I did it. You can copy what I did and learn Spanish quickly in the same way.

Dual Language First Spanish Reader. A carefully selected collection of Spanish stories and texts aimed at those beginning to learn Spanish and designed to fast track the beginner by providing enjoyable reading material and a good range of vocabulary to be absorbed with the dual language method.

Peter Oakfield

Printed in Great Britain
by Amazon